하루 한 장 75일
집중 완성

교과 연산

B0

초2 <수특강>
세 자리 수와 네 자리 수

변화를 정확히 이해해야 합니다.

수학의 기본이면서 이제는 필수가 된 연산 학습, 그런데 왜 우리 아이들은 많은 학습지를 풀고도 학교에 가면 연산 문제를 해결하지 못할까요?
지금 우리 아이들이 학습하는 교과서는 과거와는 많이 다릅니다. 단순 계산력을 확인하는 문제 대신 다양한 상황을 제시하고 상황에 맞게 문제를 해결하는 과정을 평가합니다. 그래서 단순히 계산하여 답을 내는 것보다 문장을 이해하고 상황을 판단하여 스스로 식을 세우고 문제를 해결하는 복합적인 사고 과정이 필요합니다.
그림을 보고 상황을 판단하는 능력, 그림을 보고 상황을 말로 표현하는 능력, 문장을 이해하는 능력 등 상황 판단 능력을 길러야 하는 이유입니다.

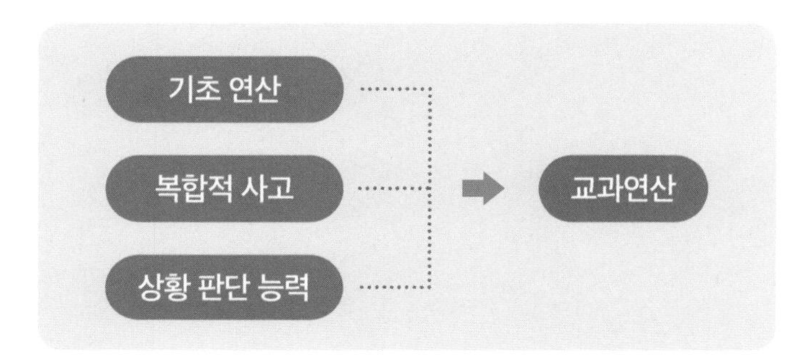

연산 원리를 학습함에 있어서도 대표적인 하나의 풀이 방법을 공식처럼 외우기만 해서는 지금의 연산 문제를 해결하기 어렵습니다. 연산 학습과 함께 다양한 방법으로 수를 분해하고 결합하는 과정, 즉 수 자체에 대한 학습도 병행되어야 합니다.
교과연산은 연산 학습과 함께 수 자체를 온전히 학습할 수 있도록 단계마다 '수특강'을 구성하고 있습니다.
계산은 문제를 해결하는 하나의 과정으로서의 의미가 큽니다.

학교에서 배우게 될 내용과 직접적으로 관련이 있는 교과연산으로 가장 먼저 시작하기를 추천드립니다.
요즘 연산은 교과 연산입니다.

"계산은 그 자체가 목적이 아닙니다. 문제를 해결하는 하나의 과정입니다."

하루 **한** 장, **75**일에 완성하는 **교과연산**

한 단계는 총 4권으로 수를 학습하는 0권과 연산을 학습하는 1권, 2권, 3권으로 구성되어 있습니다.

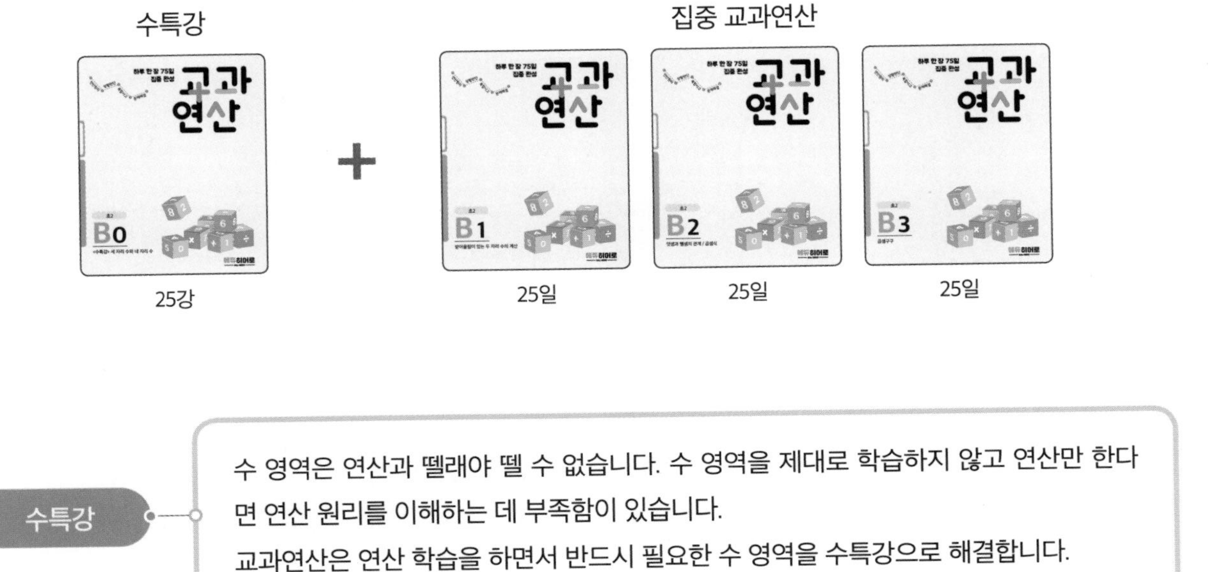

수특강

수 영역은 연산과 뗄래야 뗄 수 없습니다. 수 영역을 제대로 학습하지 않고 연산만 한다면 연산 원리를 이해하는 데 부족함이 있습니다.
교과연산은 연산 학습을 하면서 반드시 필요한 수 영역을 수특강으로 해결합니다.

교과연산

기초 연산도 합니다. 연산 원리를 이해하고 계산 연습도 합니다. 그에 더해서 교과연산은 다양한 상황 문제를 제시하여 상황에 맞는 식을 세우고 문제를 해결하는 상황 판단 능력을 길러줍니다.

“연산을 이해하기 위해서는 수를 먼저 이해해야 합니다.”

원리는 기본, 복합적 사고 문제까지 다루는 교과연산

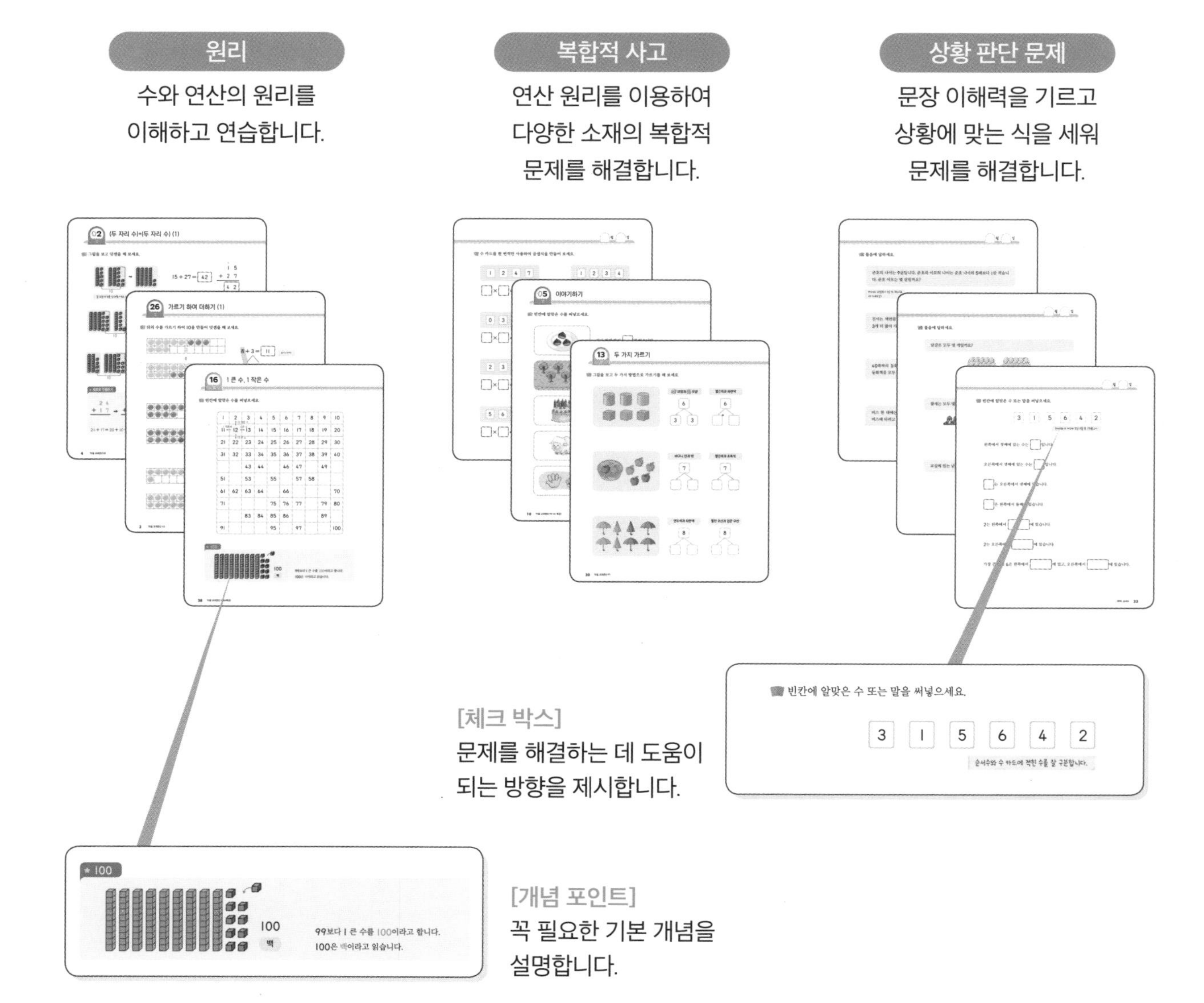

"교과연산은 꼬이고 꼬인 어려운 연산이 아닙니다.
일상 생활 속에서 상황을 판단하는 능력을 길러주는 연산입니다."

하루 한 장, 75일 집중 완성 교과연산 묻고 답하기

Q1 왜 교과연산인가요?

지금의 교과서는 과거의 교과서와는 많이 다릅니다. 하지만 아쉽게도 기존의 연산학습지는 과거의 연산 학습 방법을 그대로 답습하고 변화를 제대로 반영하지 못하고 있습니다. 교과연산은 교과서의 변화를 정확히 이해하고 체계적으로 학습을 할 수 있도록 안내합니다.

Q2 다른 연산 교재와 어떻게 다른가요?

교과연산은 변화된 교과서의 핵심 내용인 상황 판단 능력과 복합적 사고력을 길러주는 최신 연산 프로그램입니다. 또한 연산 학습의 바탕이 되는 '수'를 수특강으로 다루고 있어 수학의 기본이 되는 연산학습을 체계적으로 학습할 수 있습니다.

Q3 학교 진도와는 맞나요?

네, 교과연산은 학교 수업 진도와 최신 개정된 교과 단원에 맞추어 개발하였습니다.

Q4 단계 선택은 어떻게 해야 할까요?

권장 연령의 학습을 추천합니다.
다만, 처음 교과 연산을 시작하는 학생이라면 한 단계 낮추어 시작하는 것도 좋습니다.

Q5 '수특강'을 먼저 해야 하나요?

'수특강'을 가장 먼저 학습하는 것을 권장합니다. P단계를 예로 들어보면 P0(수특강)을 먼저 학습한 후 차례대로 P1~P3 학습을 진행합니다. '수특강'은 각 단계의 연산 원리와 개념을 정확하게 이해하고 상황 문제를 해결하는 데 디딤돌이 되어줄 것입니다.

이 책의 차례

1주차 세 자리 수 (1) 7

2주차 세 자리 수 (2) 19

3주차 네 자리 수 (1) 31

4주차 네 자리 수 (2) 43

5주차 뛰어 세기 55

01강~05강

1주차 세 자리 수 (1)

01강 몇백

02강 세 자리 수

03강 수 읽기

04강 동전 세기

05강 이야기하기

몇백

빈칸에 알맞은 수를 써넣으세요.

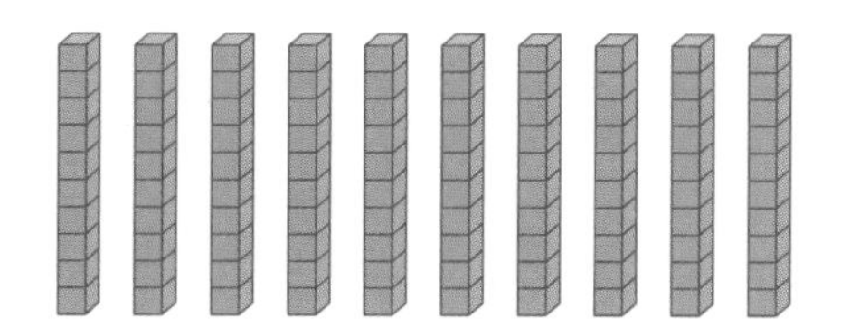

10이 10개이면 [　　] 입니다.

100이 2개이면 [　　] 입니다.

200은 '이백'이라고 읽습니다.

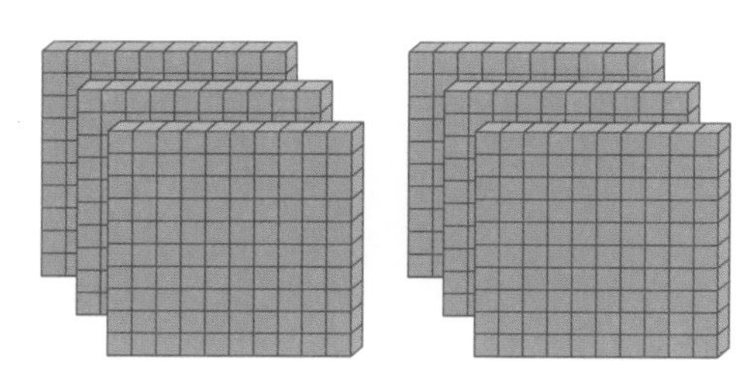

100이 6개이면 [　　] 입니다.

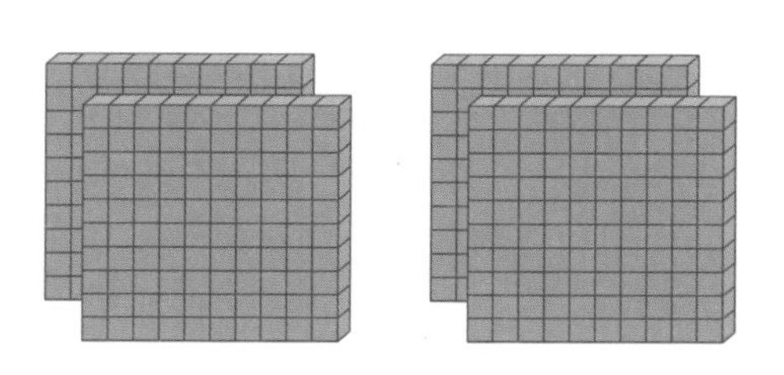

100이 4개이면 [　　] 입니다.

100이 9개이면 [　　] 입니다.

100이 8개이면 [　　] 입니다.

★ 100과 몇백

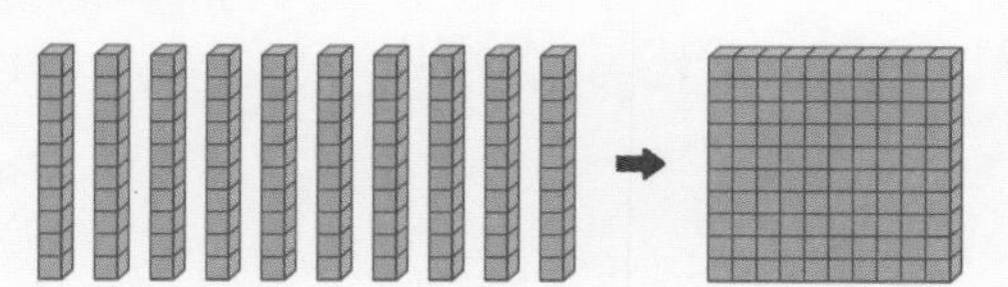

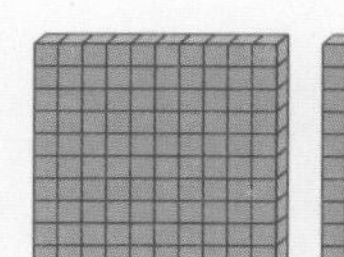

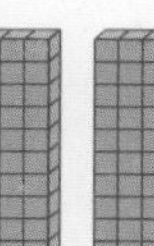

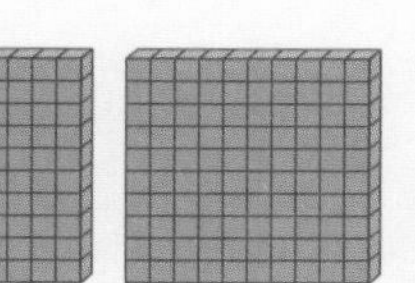

90보다 10 큰 수는 100입니다.
100은 백이라고 읽습니다.
10이 10개이면 100입니다.

100이 3개이면 300입니다.
300은 삼백이라고 읽습니다.

알맞게 이어 보세요.

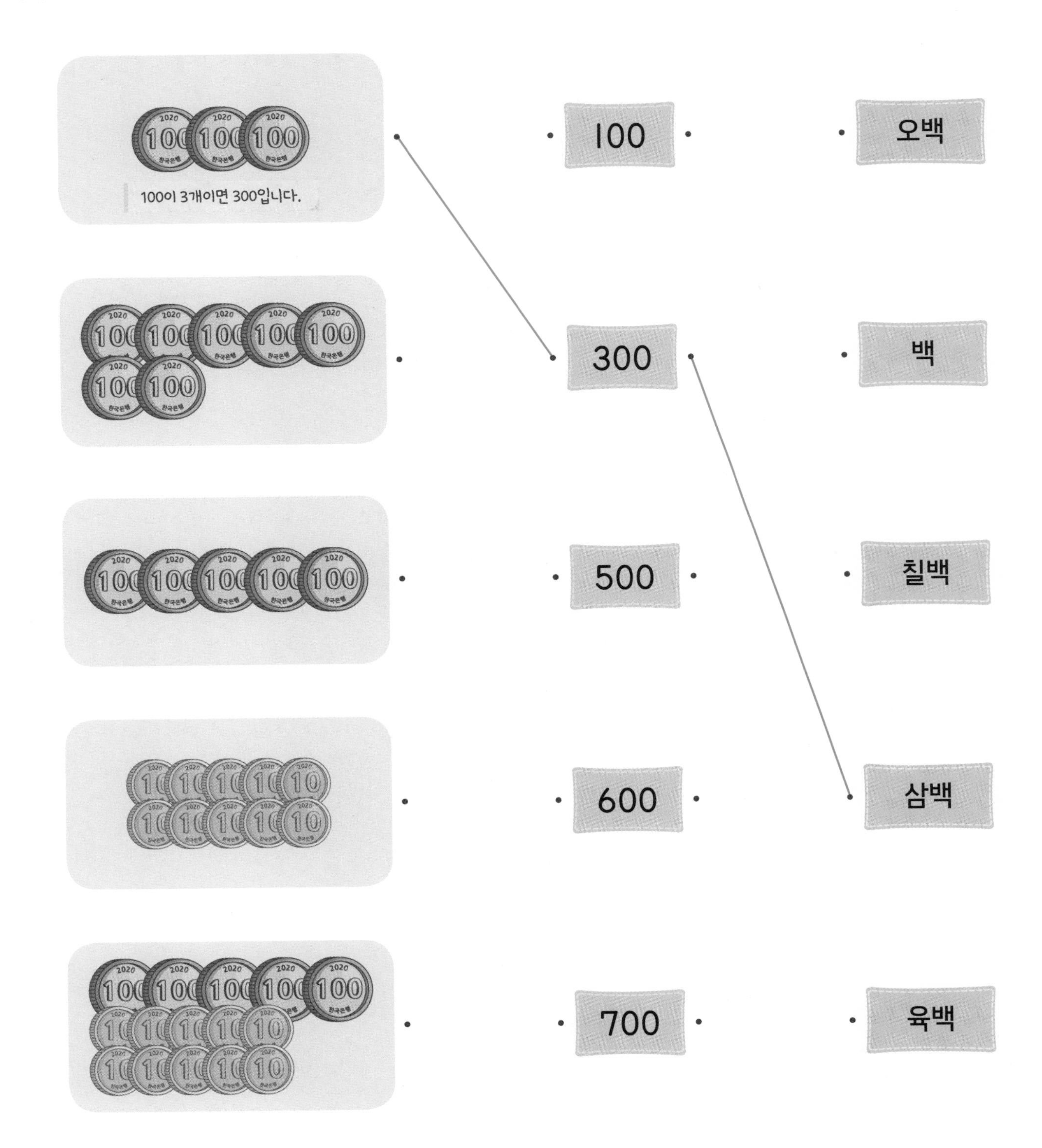

세 자리 수

빈칸에 알맞은 수를 써넣으세요.

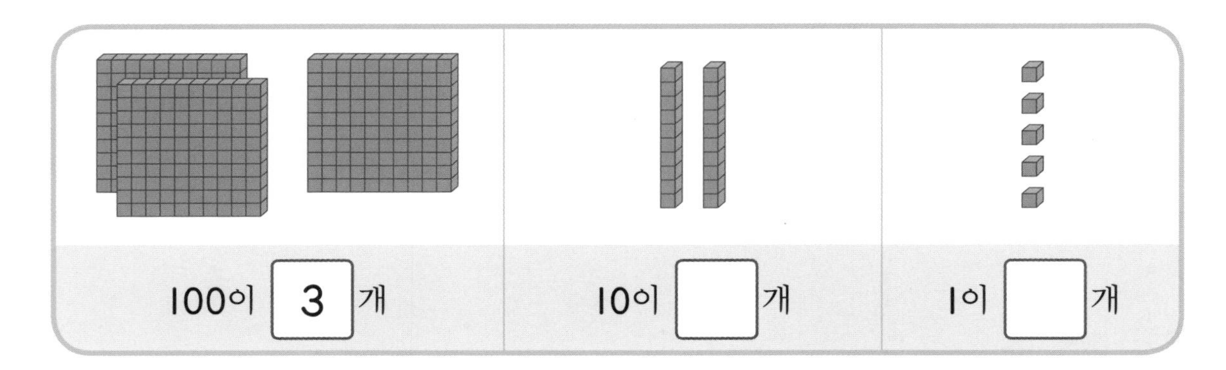

➡ ☐(이)라고 쓰고 ☐(이)라고 읽습니다.

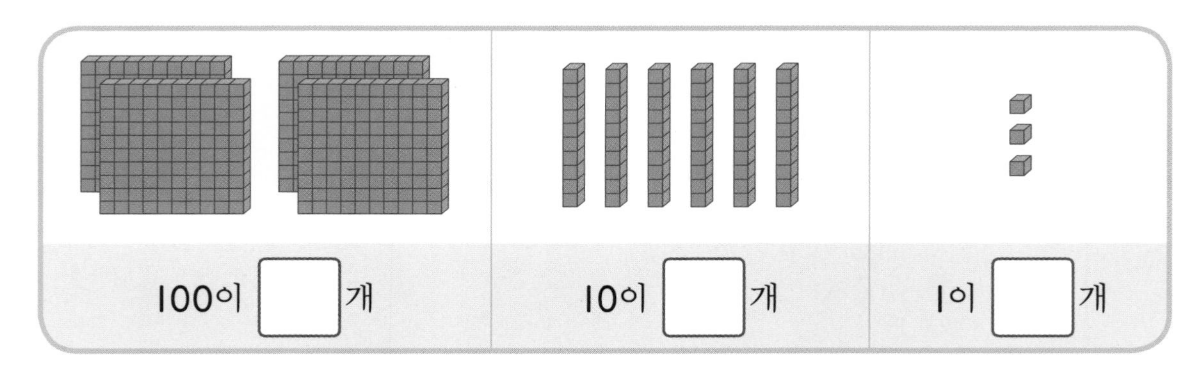

➡ ☐(이)라고 쓰고 ☐(이)라고 읽습니다.

★ 세 자리 수

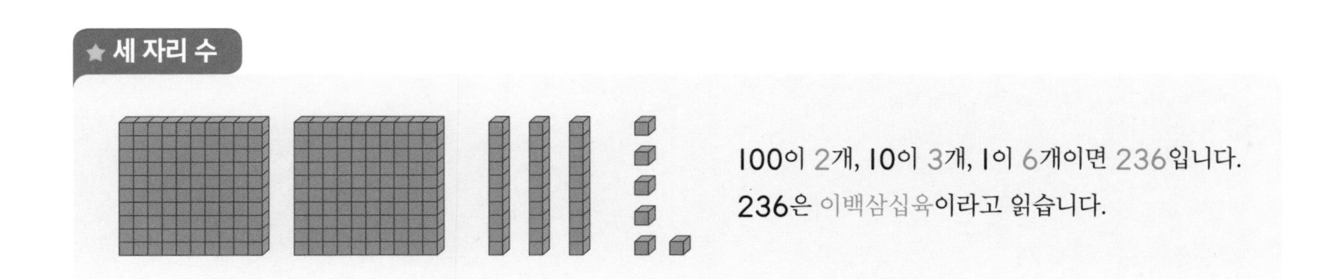

수 모형이 나타내는 수를 쓰고 읽어 보세요.

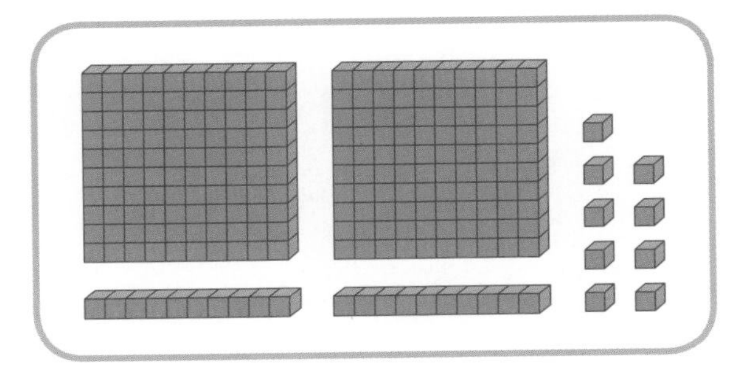

쓰기 ______

읽기 ______

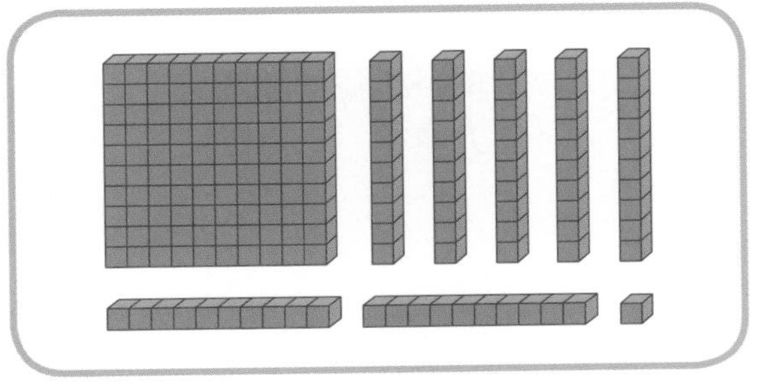

쓰기 ______

읽기 ______

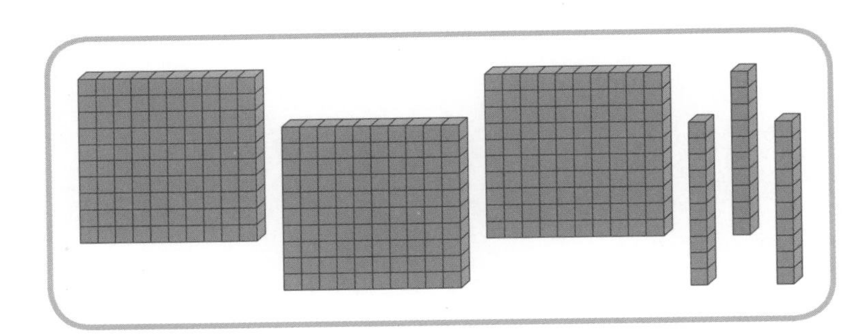

쓰기 ______

읽기 ______

0이 있는 자리의 숫자는 읽지 않습니다.

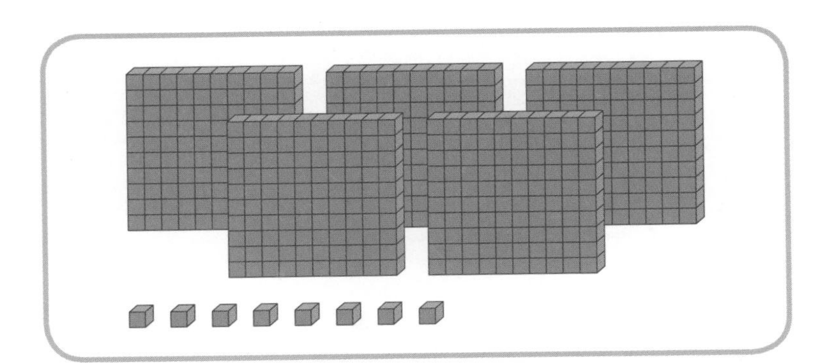

쓰기 ______

읽기 ______

수 읽기

빈칸에 알맞은 말이나 수를 써넣으세요.

바르게 읽은 것에 ◯표 하세요.

186

백팔십육 백육십팔

384

삼백구십사 삼백팔십사

206

이백육십 이백육

741

칠백사십일 칠백사십이

990

구백구 구백구십

408

사백팔십팔 사백팔

656

육백오십육 오백육십오

510

오백십일 오백십

동전 세기

동전은 모두 얼마인지 세어 보세요.

100이 1개, 10이 4개, 1이 5개입니다.

(145)원

(　　　)원

(　　　)원

(　　　)원

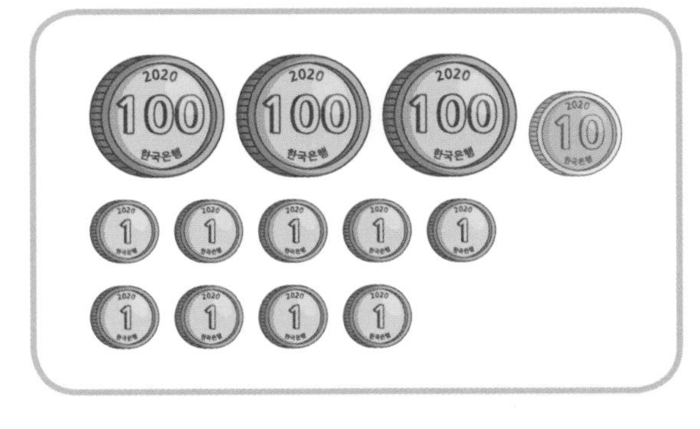

(　　　)원

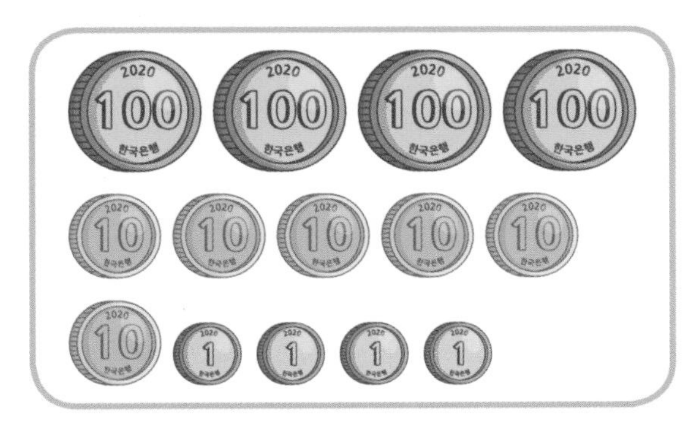

(　　　)원

동전은 모두 얼마인지 세어 보세요.

100이 1개, 10이 12개, 1이 4개입니다.

(   )원

십 원짜리 동전 10개는 100원입니다.

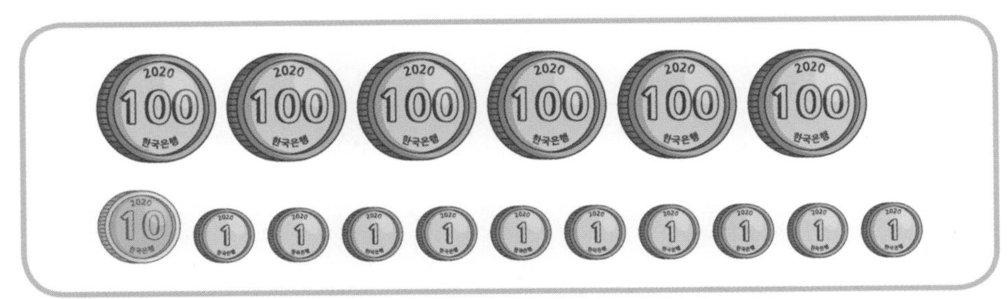

(   )원

일 원짜리 동전 10개는 10원입니다.

(   )원

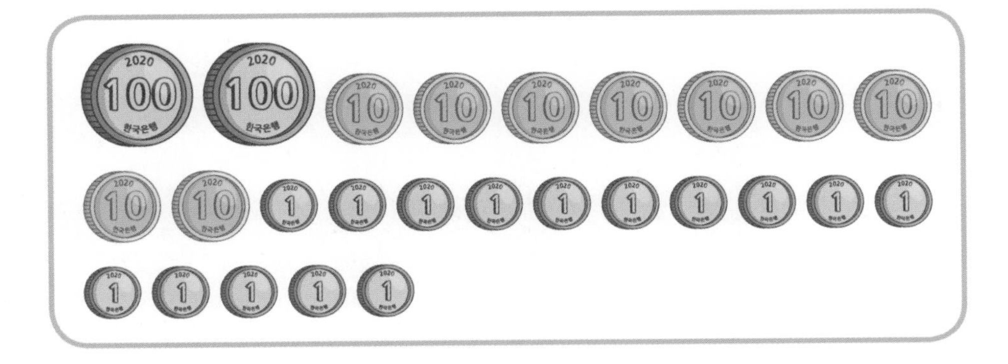

(   )원

이야기하기

물음에 답하세요.

구슬이 한 상자에 100개씩 들어 있습니다. 구슬은 모두 몇 개일까요?

( )개

100원이 되려면 얼마 더 있어야 하나요?

( )원

카드가 한 상자에 10장씩 들어 있습니다. 카드는 모두 몇 장일까요?

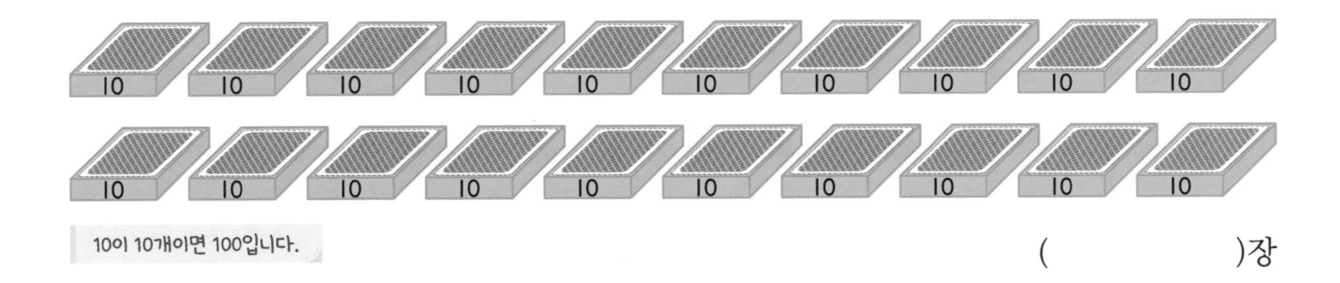

10이 10개이면 100입니다.

( )장

물음에 답하세요.

귤이 100개씩 들어 있는 상자가 5상자 있습니다. 귤은 모두 몇 개일까요?

100이 5개이면 500입니다.

( )개

하민이는 80원을 가지고 있습니다. 100원이 되려면 얼마 더 있어야 하나요?

( )원

사과가 한 상자에 10개씩 들어 있습니다. 40상자에 들어 있는 사과는 모두 몇 개일까요?

( )개

단추가 100개씩 들어 있는 상자가 2상자, 10개씩 들어 있는 상자가 6상자, 낱개로 12개 있습니다. 단추는 모두 몇 개일까요?

( )개

동전 4개 중 3개를 사용하여 나타낼 수 있는 세 자리 수를 모두 구해 보세요.

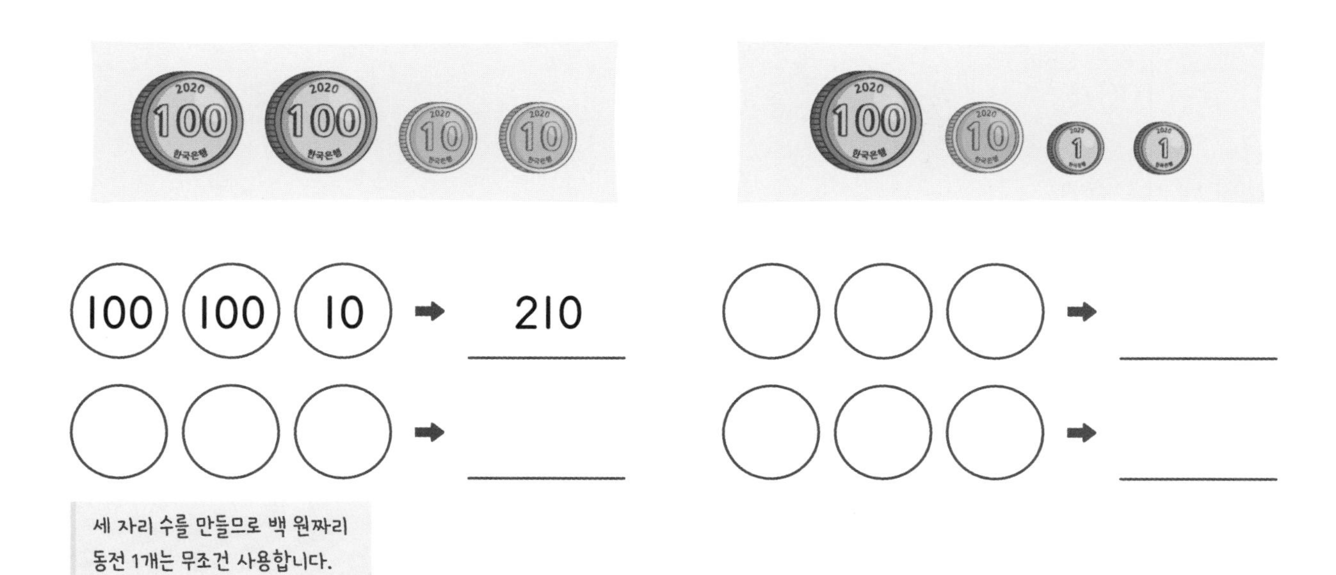

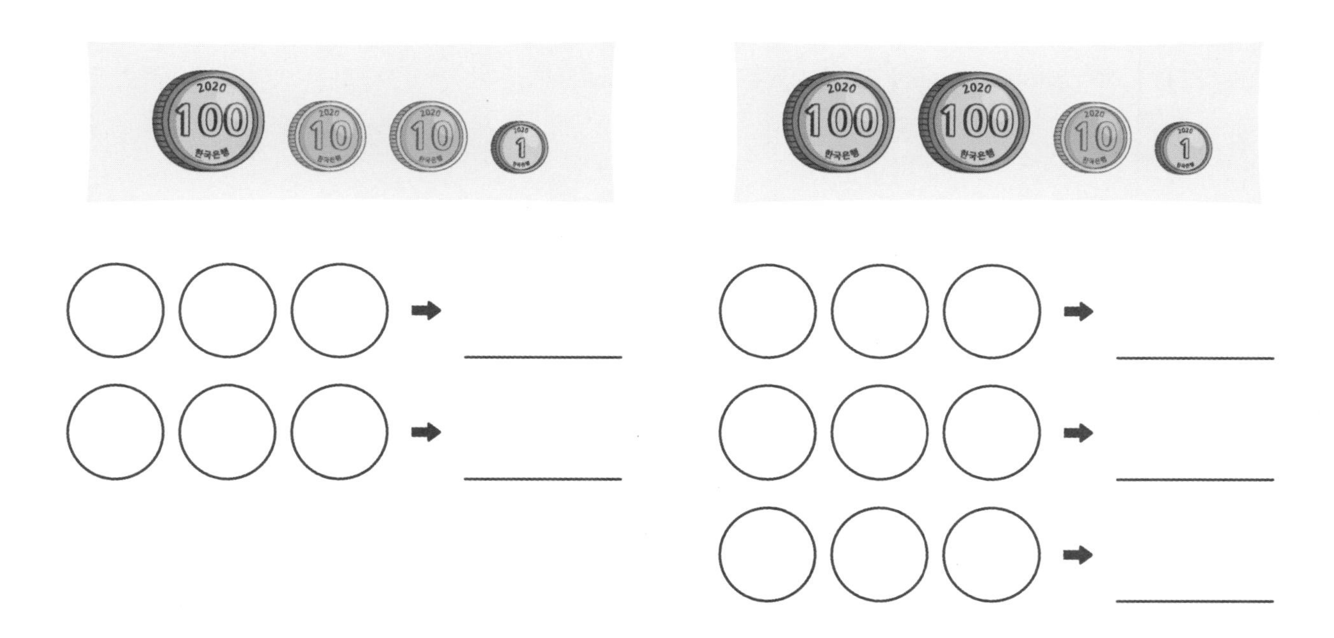

06강~10강

2주차 세 자리 수 (2)

06강 각 자리의 숫자 (1)

07강 각 자리의 숫자 (2)

08강 큰 수, 작은 수

09강 가장 큰 수

10강 조건에 맞는 수

06강 각 자리의 숫자 (1)

빈칸에 알맞은 수를 써넣으세요.

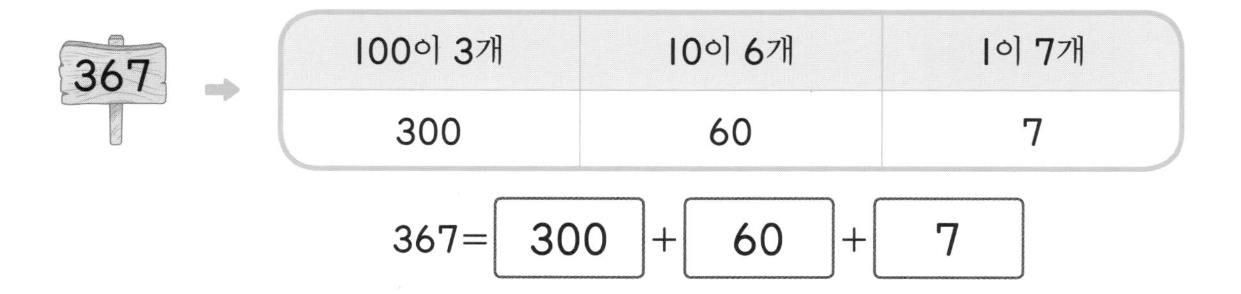

367 →

100이 3개	10이 6개	1이 7개
300	60	7

367= [300] + [60] + [7]

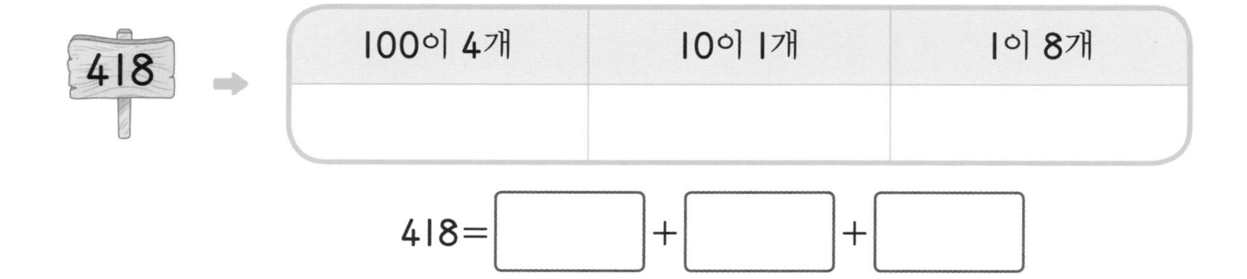

418 →

100이 4개	10이 1개	1이 8개

418= [ ] + [ ] + [ ]

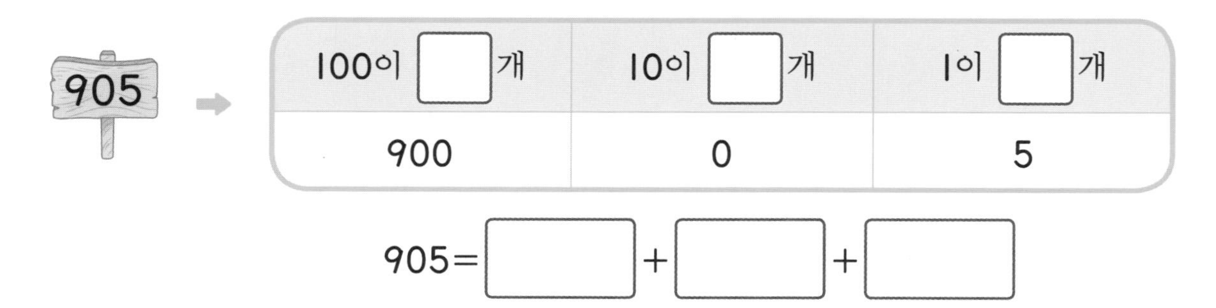

905 →

100이 [ ]개	10이 [ ]개	1이 [ ]개
900	0	5

905= [ ] + [ ] + [ ]

★ 각 자리의 숫자

백의 자리	십의 자리	일의 자리
3	6	7
	⬇	
3	0	0
	6	0
		7

3은 백의 자리 숫자이고, 300을 나타냅니다.
6은 십의 자리 숫자이고, 60을 나타냅니다.
7은 일의 자리 숫자이고, 7을 나타냅니다.

367 = 300 + 60 + 7

빈칸에 알맞은 수를 써넣으세요.

792

백의 자리 숫자는 ☐이고, ☐을/를 나타냅니다.

십의 자리 숫자는 ☐이고, ☐을/를 나타냅니다.

일의 자리 숫자는 ☐이고, ☐을/를 나타냅니다.

203

백의 자리 숫자는 ☐이고, ☐을/를 나타냅니다.

십의 자리 숫자는 ☐이고, ☐을/를 나타냅니다.

일의 자리 숫자는 ☐이고, ☐을/를 나타냅니다.

560

백의 자리 숫자는 ☐이고, ☐을/를 나타냅니다.

십의 자리 숫자는 ☐이고, ☐을/를 나타냅니다.

일의 자리 숫자는 ☐이고, ☐을/를 나타냅니다.

07 강 각 자리의 숫자 (2)

밑줄친 숫자가 나타내는 값을 써넣으세요.

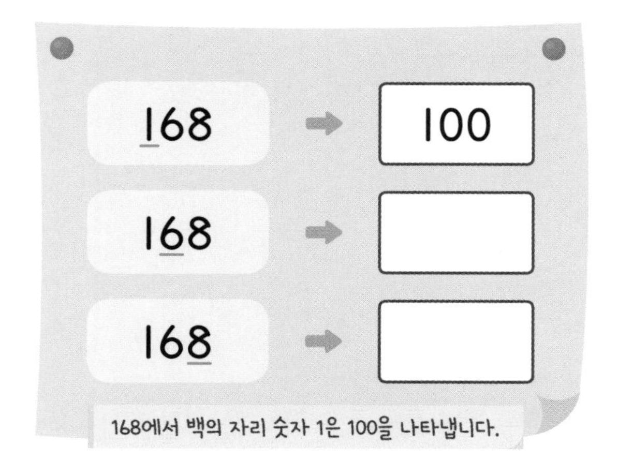

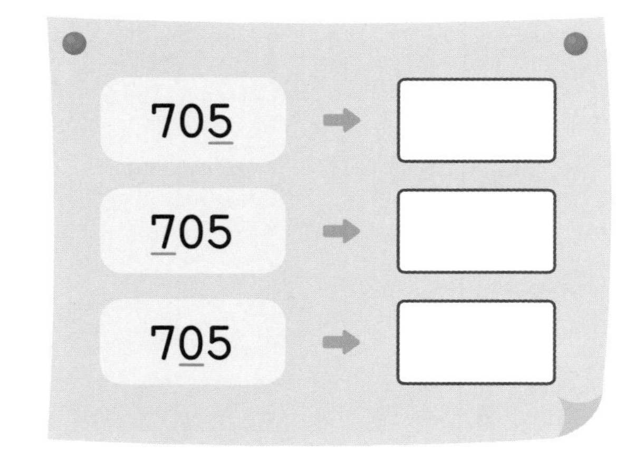

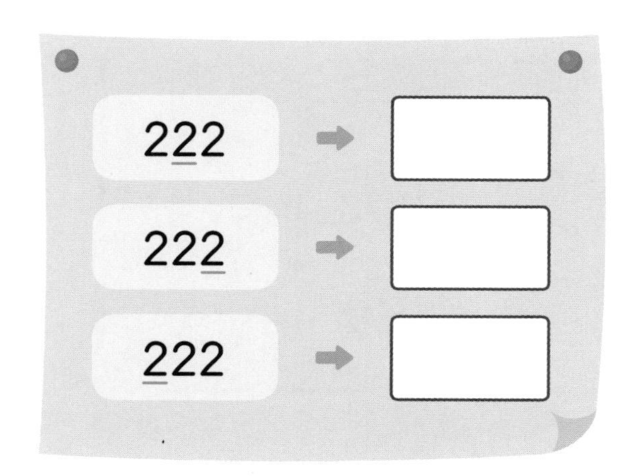

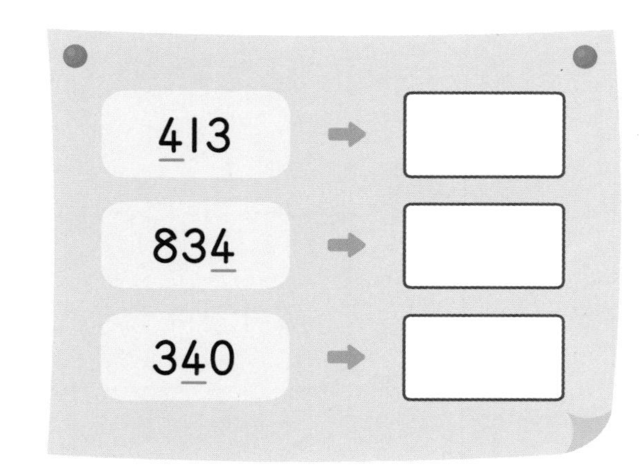

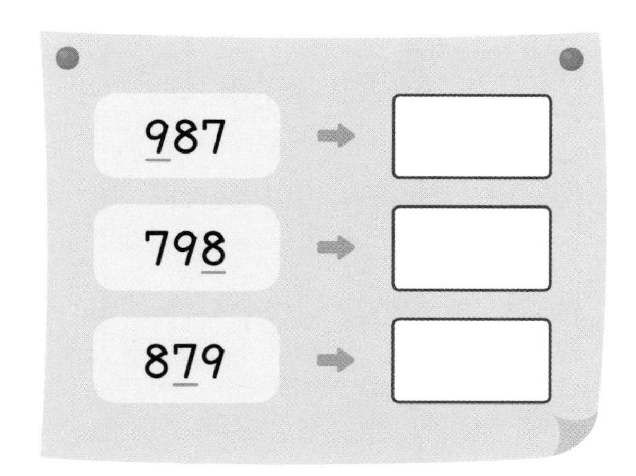

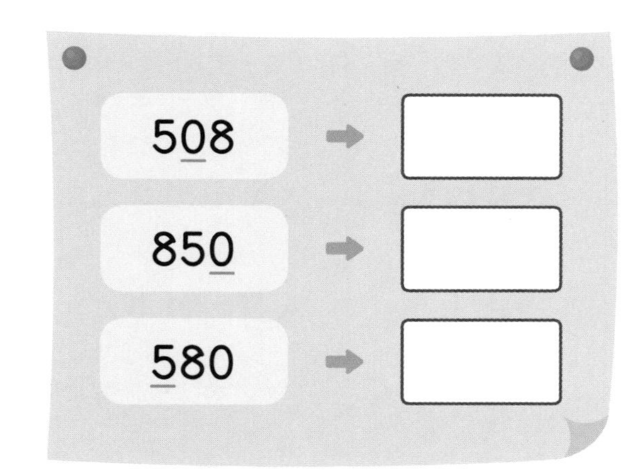

밑줄친 숫자가 왼쪽 수를 나타내는 수에 ◯표 하세요.

200 — 252 522 225

90 — 999 999 999

큰 수, 작은 수

두 수의 크기를 비교하여 ○ 안에 >, <를 알맞게 써넣으세요.

780 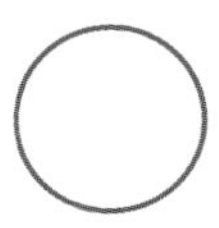 647

591 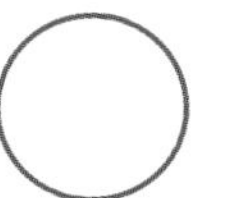 803

435 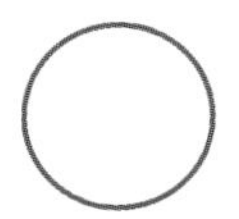 451

280 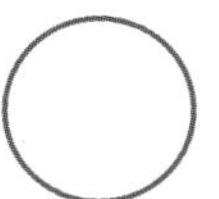 244

347 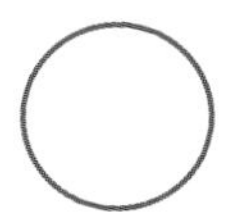 348

812 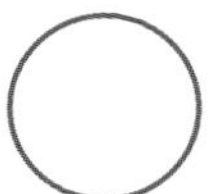 815

605 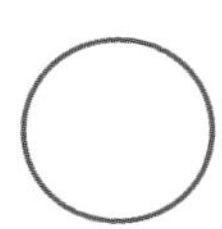 506

337 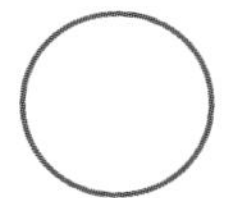 373

954 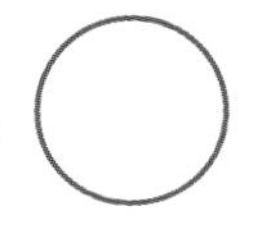 854

710 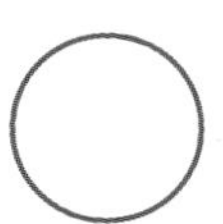 706

★ 두 수의 크기 비교

백의 자리	십의 자리	일의 자리
3	5	6
2	1	8

356>218

백의 자리 숫자가 크면 더 큰 수입니다.

백의 자리	십의 자리	일의 자리
1	3	7
1	4	5

137<145

백의 자리 숫자가 같으면 십의 자리 숫자를 비교합니다.

백의 자리	십의 자리	일의 자리
5	0	8
5	0	4

508>504

백의 자리, 십의 자리 숫자가 같으면 일의 자리 숫자를 비교합니다.

세 자리 수의 일부가 지워졌습니다. 두 수의 크기를 비교하여 ○ 안에 >, <를 알맞게 써넣으세요.

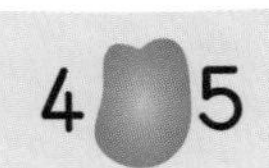 ○ 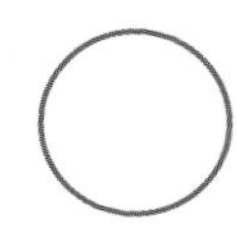

백의 자리 숫자가 다르므로 그 아래 자리 숫자는 비교하지 않아도 됩니다.

 ○ 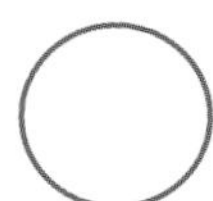

2 6 ○ 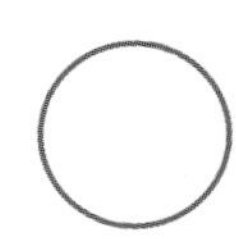

8 7 ○ 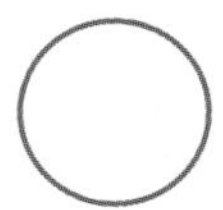

1 7 ○ 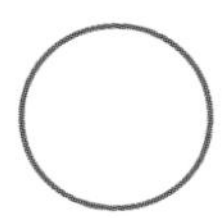

7 0 ○ 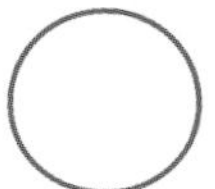

3 8 ○ 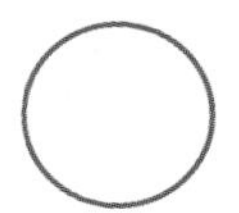

6 0 ○ 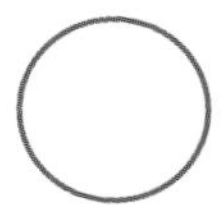

1 6 ○ 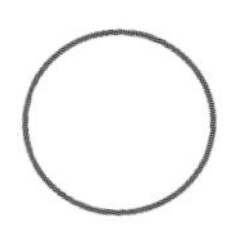

3 9 ○ 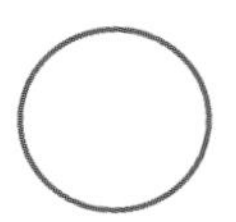

9 0 ○ 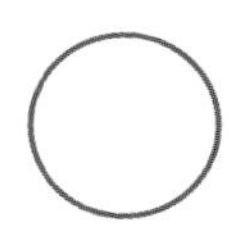

2 7 ○ 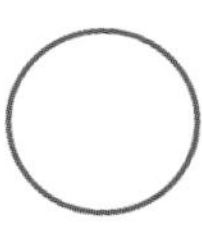

가장 큰 수

가장 큰 수에 ◯표, 가장 작은 수에 △표 하세요.

134 (△)	970	482
208	781	357
352 (◯)	639	500

352 > 208 > 134

210	512	820
256	496	800
233	510	909

753	647	234
375	667	432
357	642	423

수 카드를 모두 사용하여 가장 큰 세 자리 수와 가장 작은 세 자리 수를 만들어 보세요.

1 3 5

가장 큰 세 자리 수: 531

가장 작은 세 자리 수:

백의 자리 숫자가 클수록 큰 수,
백의 자리 숫자가 작을수록 작은 수입니다.

2 2 4

가장 큰 세 자리 수:

가장 작은 세 자리 수:

가장 큰 세 자리 수:

가장 작은 세 자리 수:

가장 큰 세 자리 수:

가장 작은 세 자리 수:

5 0 4

가장 큰 세 자리 수:

가장 작은 세 자리 수:

0 9 8

가장 큰 세 자리 수:

가장 작은 세 자리 수:

10 강 조건에 맞는 수

□ 안에 들어갈 수 있는 수에 모두 ◯표 하세요.

54□ < 543

0 1 2 3 4

수를 하나씩 넣어 보며 식이 맞는지 확인합니다.

355 < 3□5

5 6 7 8 9

262 > 26□

0 1 2 3 4

□90 > 790

5 6 7 8 9

37□ > 374

0 1 2 3 4 5 6 7 8 9

1□0 < 139

0 1 2 3 4 5 6 7 8 9

590 > □91

1 2 3 4 5 6 7 8 9

월 일

■ 설명을 읽고 알맞은 수를 모두 구해 보세요.

백의 자리 숫자가 6, 십의 자리 숫자가 4인 수 중에서 646보다 큰 세 자리 수를 모두 써 보세요.

6 4 □

64□ > 646

(, ,)

백의 자리 숫자가 2, 일의 자리 숫자가 2인 수 중에서 232보다 작은 세 자리 수를 모두 써 보세요.

2 □ 2

(, ,)

십의 자리 숫자가 7, 일의 자리 숫자가 5인 수 중에서 675보다 큰 세 자리 수를 모두 써 보세요.

□ 7 5

(, ,)

십의 자리 숫자가 0, 일의 자리 숫자가 3인 수 중에서 403보다 작은 세 자리 수를 모두 써 보세요.

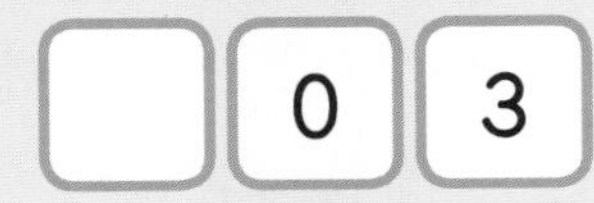

(, ,)

설명을 읽고 알맞은 세 자리 수를 구해 보세요.

백의 자리 숫자는 4입니다.
십의 자리 숫자는 8보다 큽니다.
일의 자리 숫자는 십의 자리 숫자와 같습니다.

(　　　　　　)

백의 자리 숫자는 700을 나타냅니다.
각 자리 숫자의 합은 12입니다.
십의 자리 숫자는 0을 나타냅니다.

(　　　　　　)

500보다 크고 600보다 작습니다.
십의 자리 숫자와 일의 자리 숫자의 합은 15입니다.
일의 자리 숫자는 8입니다.

(　　　　　　)

371보다 크고 388보다 작습니다.
백의 자리 숫자와 일의 자리 숫자는 같습니다.
백의 자리 숫자와 십의 자리 숫자의 합은 10입니다.

(　　　　　　)

11강~15강

3주차 네 자리 수 (1)

11강 몇천

12강 네 자리 수

13강 수 읽기

14강 지폐와 동전 세기

15강 이야기하기

11강 몇천

빈칸에 알맞은 수를 써넣으세요.

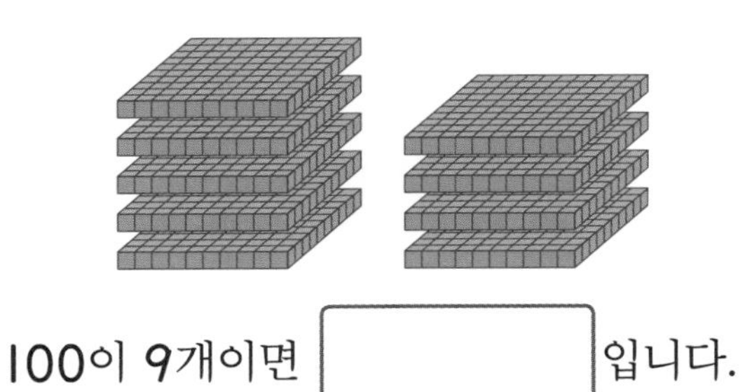

100이 9개이면 [   ]입니다.

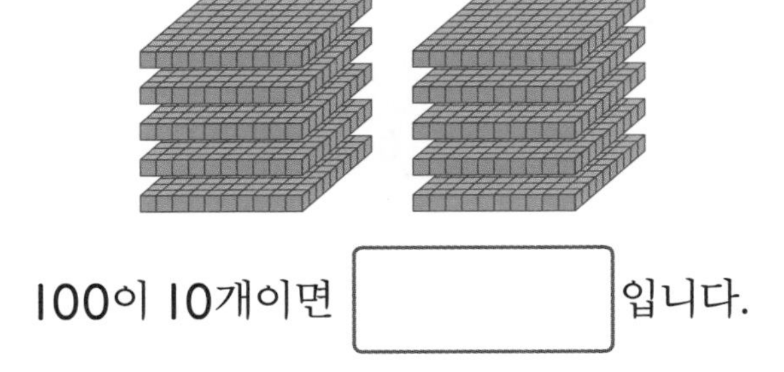

100이 10개이면 [   ]입니다.

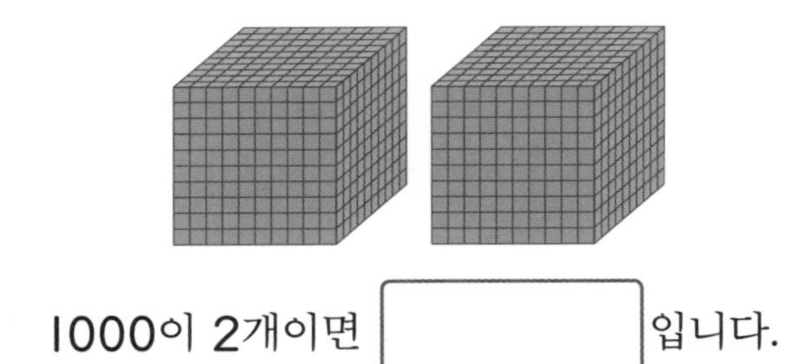

1000이 2개이면 [   ]입니다.

2000은 '이천'이라고 읽습니다.

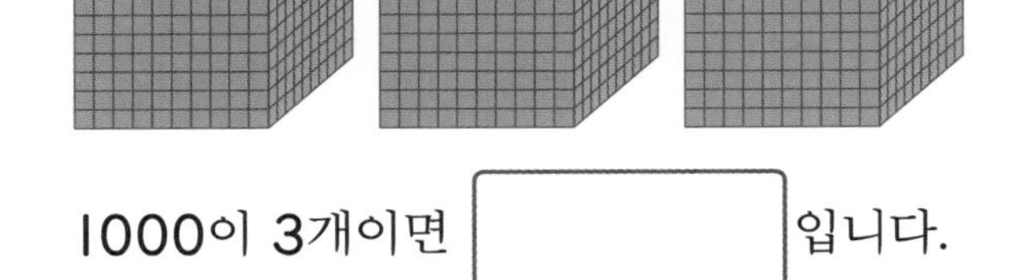

1000이 3개이면 [   ]입니다.

1000이 7개이면 [   ]입니다.

1000이 9개이면 [   ]입니다.

★ 1000

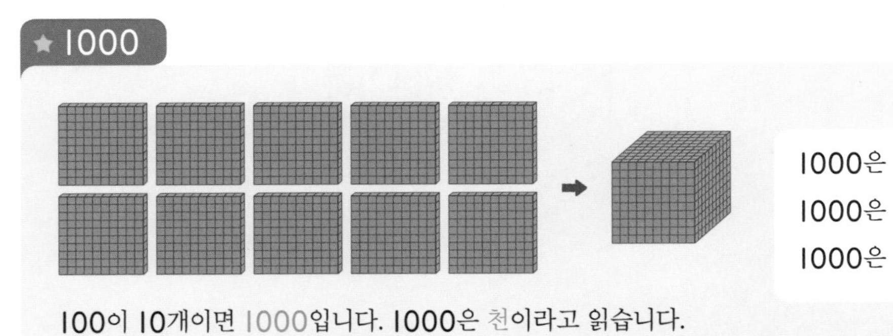

1000은 900보다 100 큰 수입니다.
1000은 990보다 10 큰 수입니다.
1000은 999보다 1 큰 수입니다.

100이 10개이면 1000입니다. 1000은 천이라고 읽습니다.

알맞게 이어 보세요.

	1000	오천
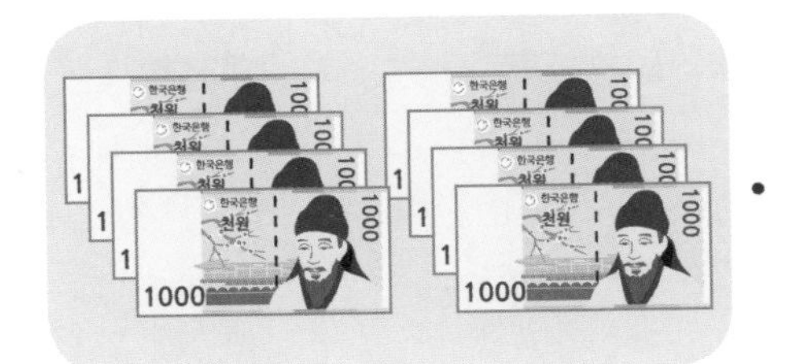	5000	육천
	6000	천
	8000	팔천

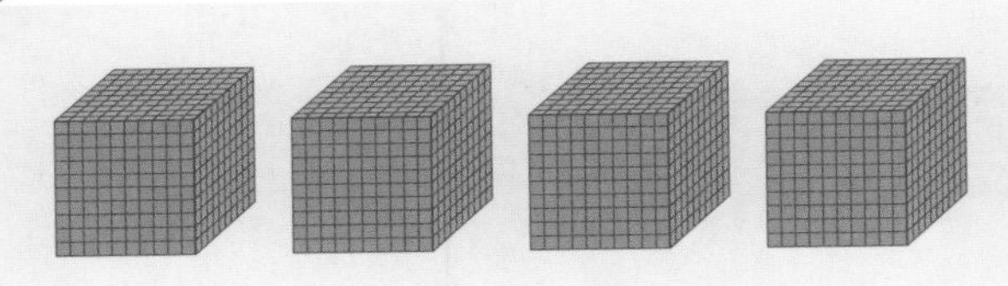

1000이 4개이면 4000입니다.

4000은 사천이라고 읽습니다.

12강 네 자리 수

빈칸에 알맞은 수를 써넣으세요.

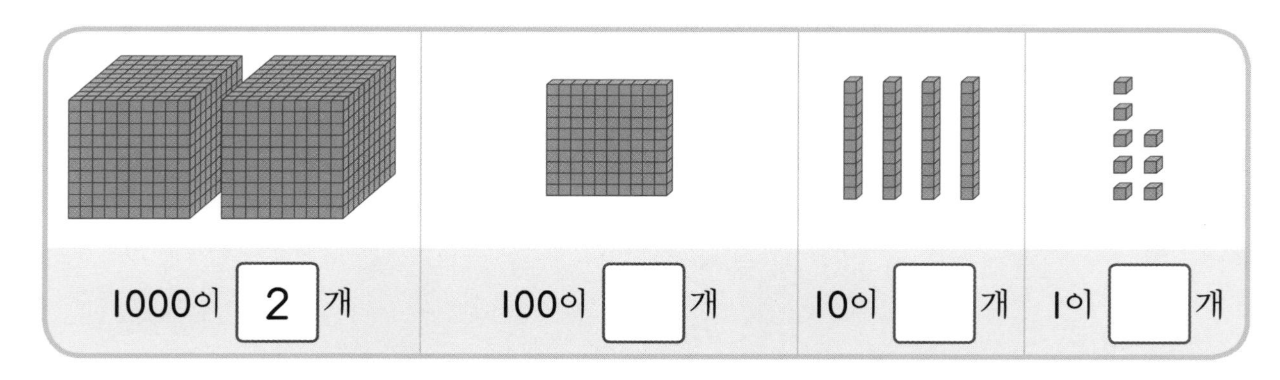

➡ ☐(이)라고 쓰고 ☐(이)라고 읽습니다.

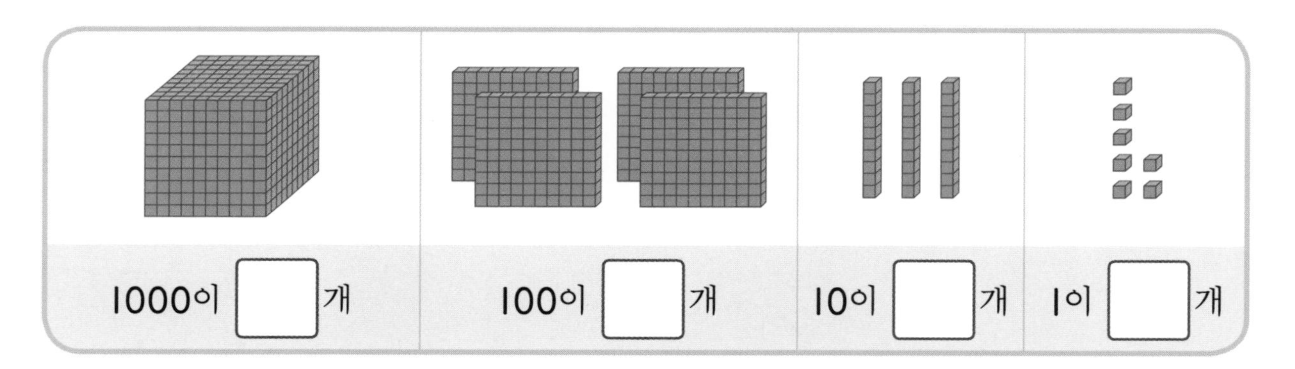

➡ ☐(이)라고 쓰고 ☐(이)라고 읽습니다.

★ 네 자리 수

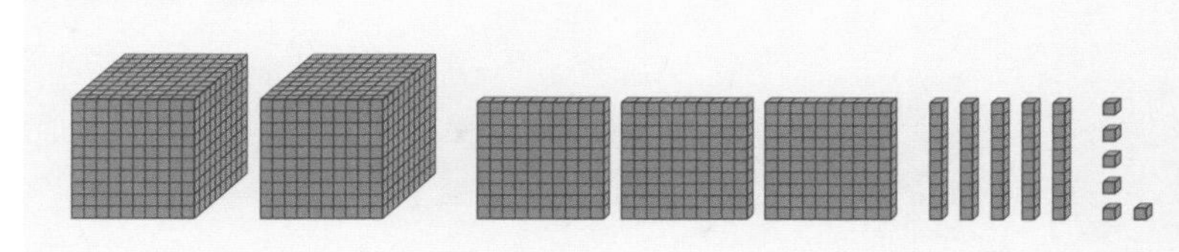

1000이 2개, 100이 3개, 10이 5개, 1이 6개이면 2356입니다. 2356은 이천삼백오십육이라고 읽습니다.

월 일

수 모형이 나타내는 수를 쓰고 읽어 보세요.

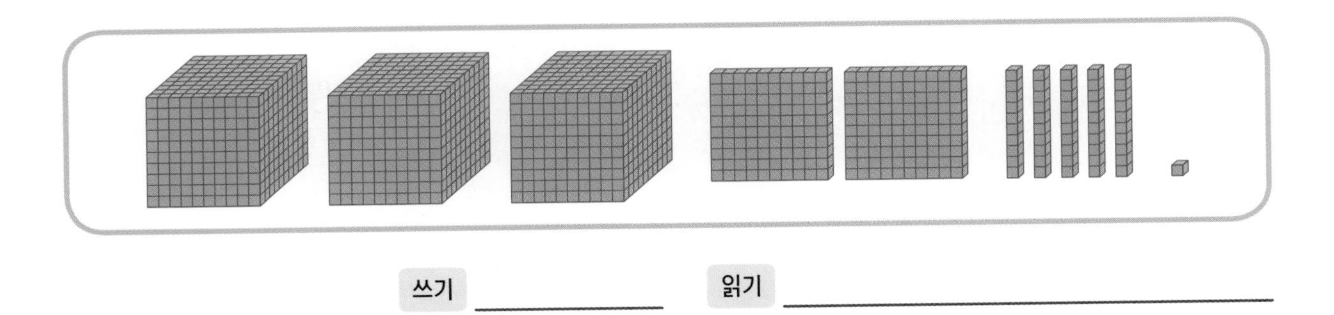

쓰기 ______ 읽기 ______

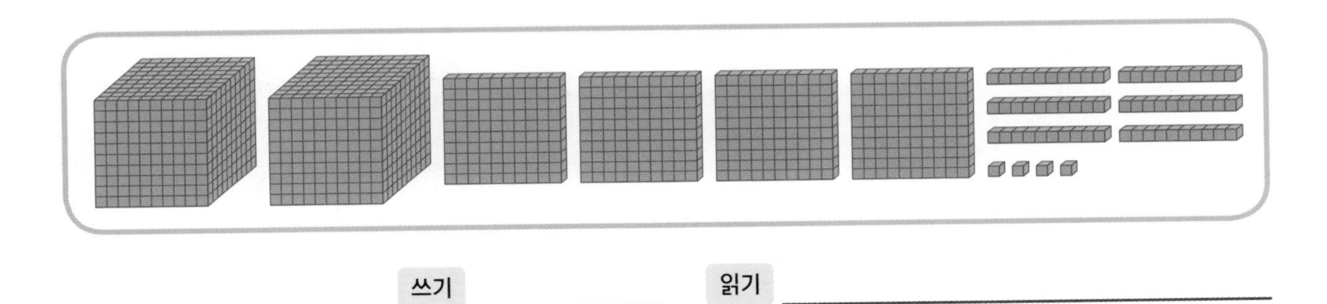

쓰기 ______ 읽기 ______

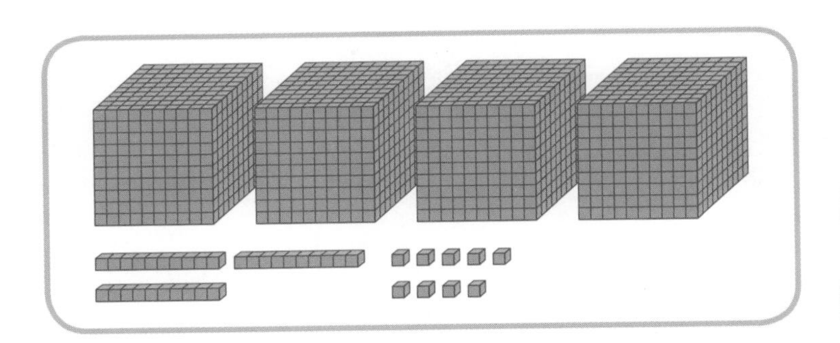

쓰기 ______

읽기 ______

0이 있는 자리의 숫자는 읽지 않습니다.

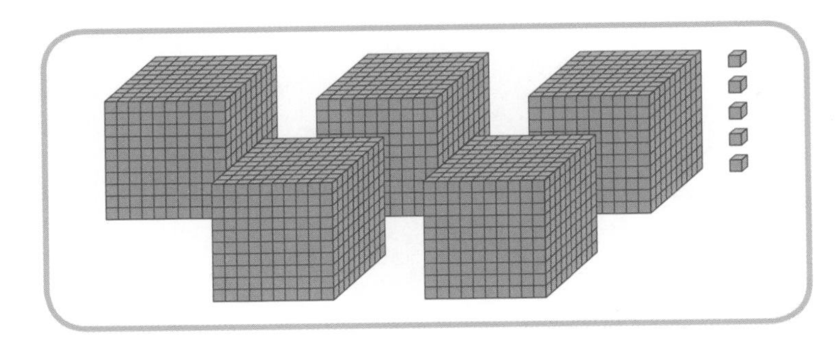

쓰기 ______

읽기 ______

13강 수 읽기

빈칸에 알맞은 말이나 수를 써넣으세요.

설명	수	읽기
1000이 6개, 100이 2개, 10이 4개, 1이 3개	6243	육천이백사십삼
1000이 2개, 100이 3개, 10이 2개, 1이 1개		이천삼백이십일
1000이 7개, 100이 4개, 10이 0개, 1이 7개	7407	
1000이 3개, 100이 8개, 10이 0개, 1이 0개		삼천팔백
1000이 6개, 100이 0개, 10이 0개, 1이 8개	6008	
1000이 9개, 100이 0개, 10이 9개, 1이 9개		

바르게 읽은 것에 ◯표 하세요.

4512

사천오백이십일

사천오백십이

5600

오천육백

오천육십

4004

사천사

사천백사

9127

구천백삼십칠

구천백이십칠

1905

천구백오

천구백오십

7654

칠천육백오십삼

칠천육백오십사

8090

팔천구백

팔천구십

3062

삼천육십이

삼백육십이

6301

육천삼십일

육천삼백일

14강 지폐와 동전 세기

지폐와 동전은 모두 얼마인지 세어 보세요.

1000이 3개, 100이 1개,
10이 9개, 1이 2개입니다.

(　　　　　　)원

(　　　　　　)원

(　　　　　　)원

(　　　　　　)원

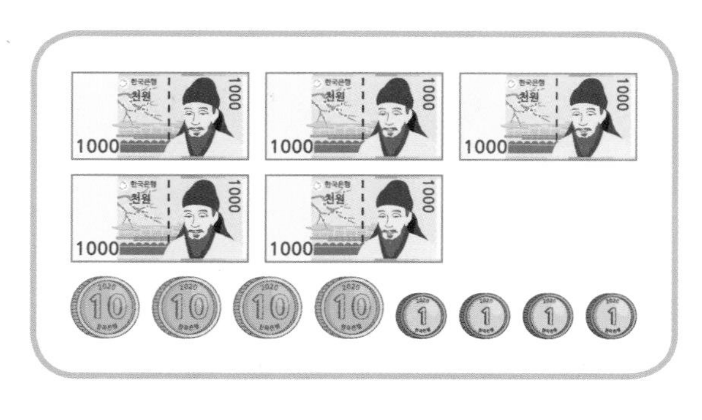

(　　　　　　)원

(　　　　　　)원

월 일

1000, 100, 10, 1 을 사용하여 주어진 수를 나타내어 보세요.

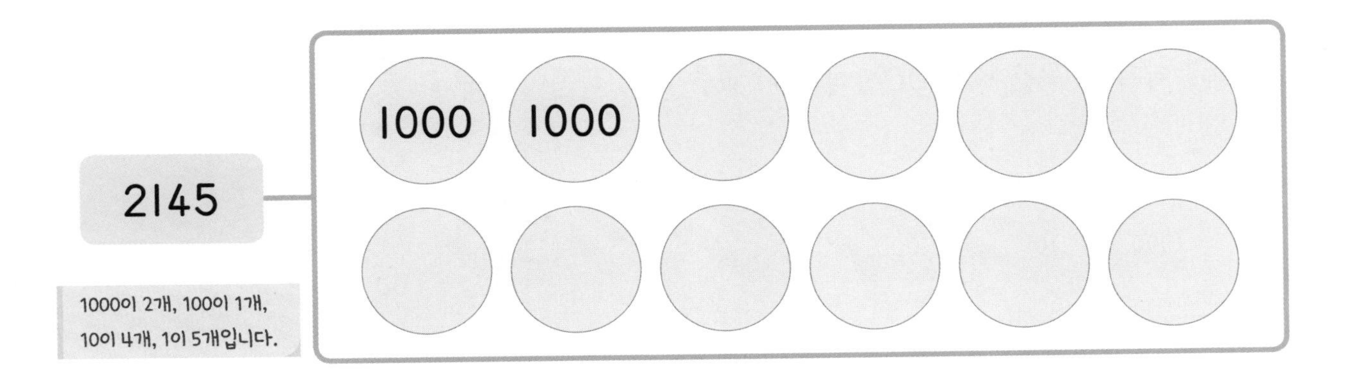

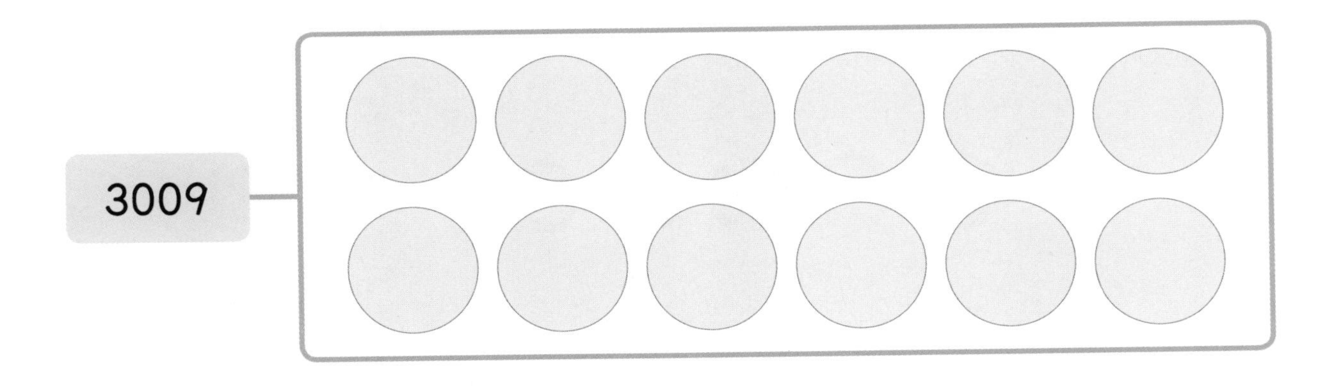

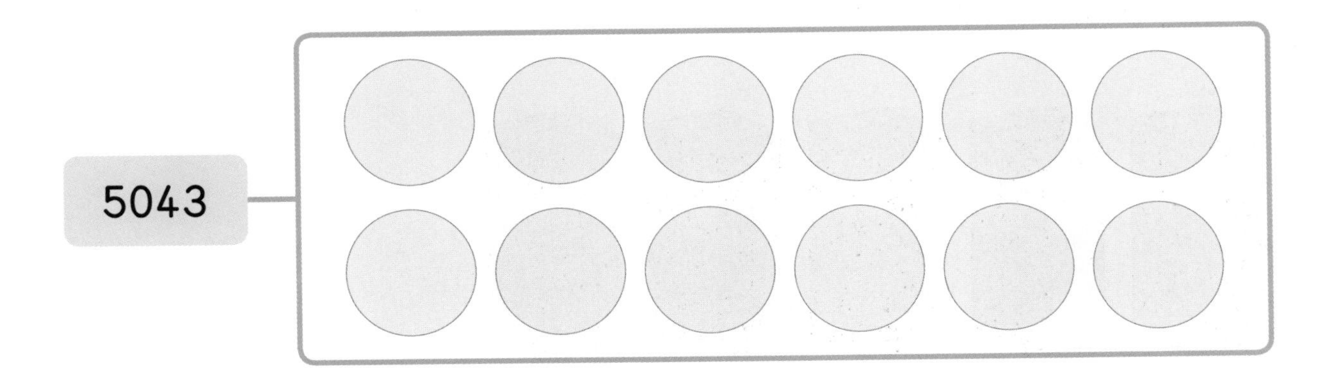

15강 이야기하기

물음에 답하세요.

색종이가 한 묶음에 1000장씩 묶여 있습니다. 색종이는 모두 몇 장일까요?

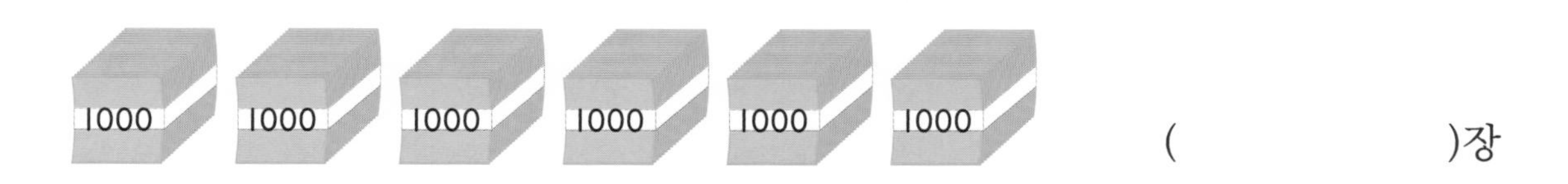

(　　　　　　)장

1000원이 되려면 얼마 더 있어야 하나요?

(　　　　　　)원

귤이 한 상자에 100개씩 들어 있습니다. 25상자에 있는 귤은 모두 몇 개일까요?

(　　　　　　)개

월 일

물음에 답하세요.

한 상자에 1000개씩 들어 있는 단추를 7상자 샀습니다. 단추를 모두 몇 개 샀을까요?

( )개

민아는 스케치북을 사면서 천 원짜리 지폐 2장과 백 원짜리 동전 6개를 냈습니다. 민아가 낸 돈은 얼마일까요?

( )원

은우는 천 원짜리 지폐 5장과 백 원짜리 동전 13개를 가지고 있습니다. 은우가 가진 돈은 얼마일까요?

백 원짜리 동전 10개는 1000원입니다.

( )원

구슬이 한 상자에 100개씩 들어 있습니다. 50상자에 들어 있는 구슬은 모두 몇 개일까요?

( )개

물음에 답하세요.

공책이 한 권에 1000원이고, 채은이는 990원을 가지고 있습니다. 채은이가 공책 한 권을 사려면 얼마 더 있어야 하나요?

(　　　　　　)원

색종이를 한 상자에 1000장씩 담으려고 합니다. 색종이 3000장을 담으려면 상자는 몇 개 필요할까요?

(　　　　　　)개

종우는 백 원짜리 동전 7개와 십 원짜리 동전 10개를 가지고 있습니다. 1000원이 되려면 얼마 더 있어야 하나요?

종우가 가진 돈이 얼마인지 알아봅니다.

(　　　　　　)원

승호는 2000원을 가지고 있는데 모두 백 원짜리 동전으로만 가지고 있습니다. 승호는 백 원짜리 동전을 몇 개 가지고 있을까요?

(　　　　　　)개

16강~20강

4주차 네 자리 수 (2)

16강 각 자리의 숫자 (1)

17강 각 자리의 숫자 (2)

18강 큰 수, 작은 수

19강 가장 큰 수

20강 조건에 맞는 수

16강 각 자리의 숫자 (1)

빈칸에 알맞은 수를 써넣으세요.

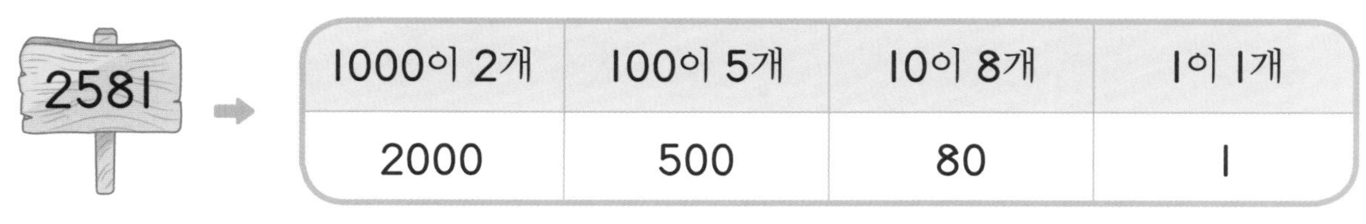

2581 →

1000이 2개	100이 5개	10이 8개	1이 1개
2000	500	80	1

2581= [2000] + [500] + [80] + [1]

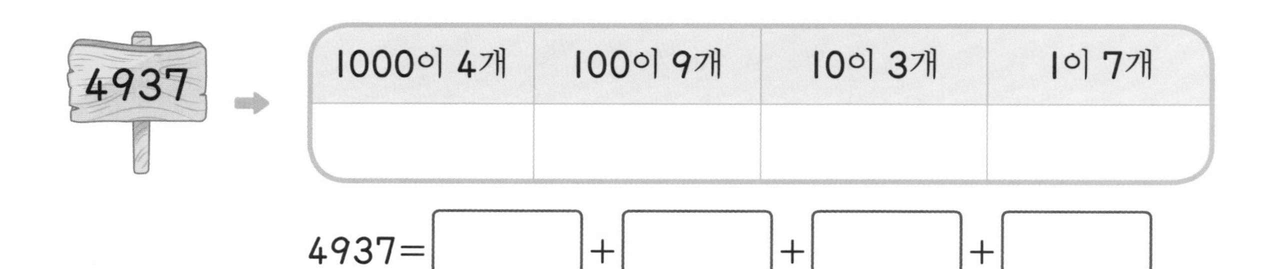

4937 →

1000이 4개	100이 9개	10이 3개	1이 7개

4937= [ ] + [ ] + [ ] + [ ]

8203 →

1000이 [ ]개	100이 [ ]개	10이 [ ]개	1이 [ ]개
8000	200	0	3

8203= [ ] + [ ] + [ ] + [ ]

★ 각 자리의 숫자

천의 자리	백의 자리	십의 자리	일의 자리
3	2	4	6

↓

3	0	0	0
	2	0	0
		4	0
			6

3은 천의 자리 숫자이고, 3000을 나타냅니다.
2는 백의 자리 숫자이고, 200을 나타냅니다.
4는 십의 자리 숫자이고, 40을 나타냅니다.
6은 일의 자리 숫자이고, 6을 나타냅니다.

3246 = 3000 + 200 + 40 + 6

빈칸에 알맞은 수를 써넣으세요.

1746

1746에서 천의 자리 숫자 1은 1000을, 백의 자리 숫자 7은 [ ]을,

십의 자리 숫자 [ ]은/는 [ ]을, 일의 자리 숫자 [ ]은/는

[ ]을 나타냅니다.

9320

9320에서 천의 자리 숫자 [ ]은/는 [ ]을,

백의 자리 숫자 [ ]은/는 [ ]을, 십의 자리 숫자 2는 [ ]을,

일의 자리 숫자 0은 [ ]을 나타냅니다.

3057

3057에서 천의 자리 숫자 3은 [ ]을, 백의 자리 숫자 [ ]은/는

[ ]을, 십의 자리 숫자 [ ]은/는 [ ]을,

일의 자리 숫자 [ ]은/는 [ ]을 나타냅니다.

17강 각 자리의 숫자 (2)

밑줄친 숫자가 나타내는 값을 써넣으세요.

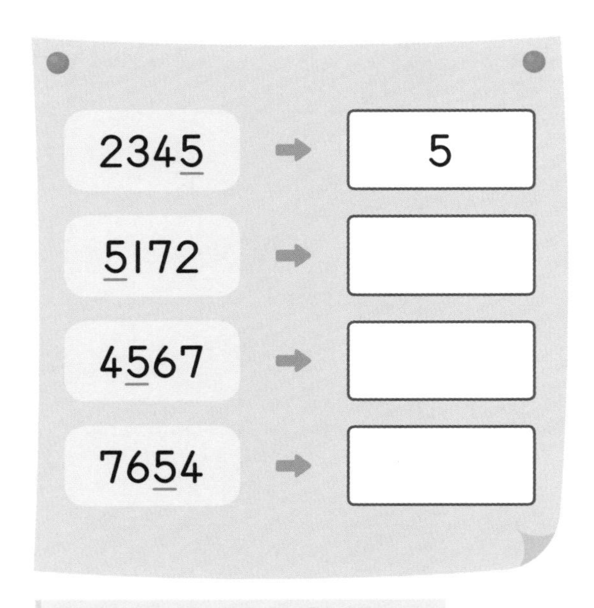

7150 →

3758 →

1297 →

6070 →

2345에서 일의 자리 숫자 5는 5를 나타냅니다.

3333 →

3333 →

3333 →

3333 →

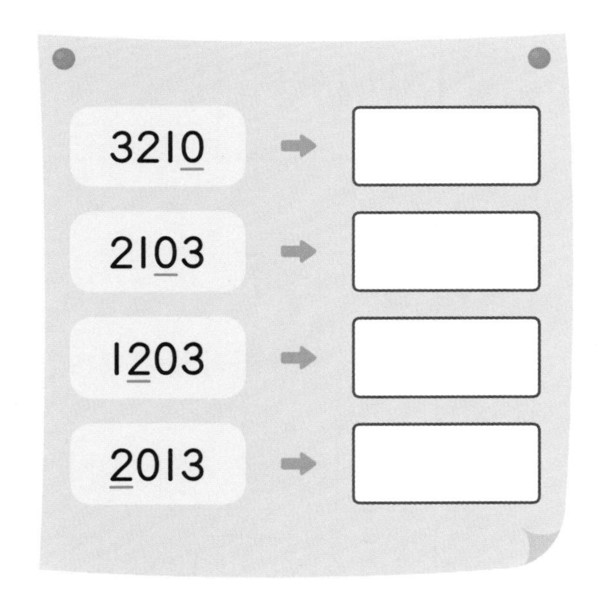

밑줄친 숫자가 나타내는 값이 가장 큰 수에 ○표, 가장 작은 수에 △표 하세요.

5413 2750 3925 4561

3103 6781 1054 4216

3008 8000 7080 5800

4610 2016 9765 6013

1894 9213 5901 3579

5677 2707 9877 7273

18 강 큰 수, 작은 수

두 수의 크기를 비교하여 ○ 안에 >, <를 알맞게 써넣으세요.

4630 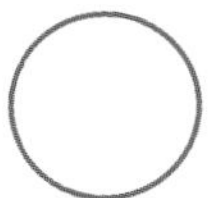 5021

7512 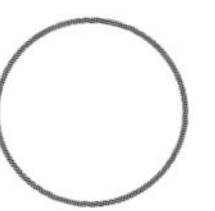 6840

3321 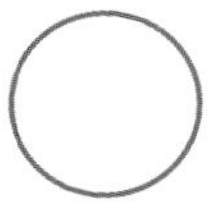 3237

8450 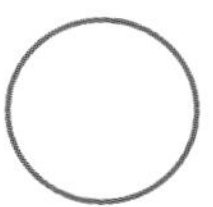 8540

2345 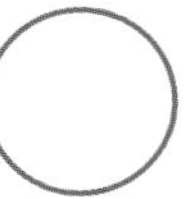 2371

5005 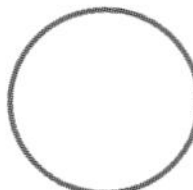 5050

1107 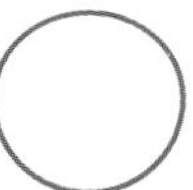 1104

9099  9098

3072 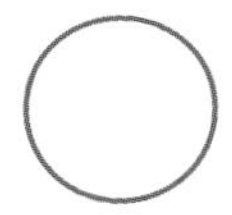 3107

8401 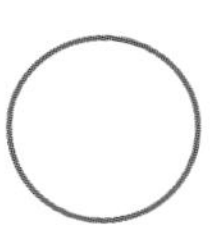 8410

★ 두 수의 크기 비교

천의 자리	백의 자리	십의 자리	일의 자리
4	0	3	5
3	2	6	3

4035>3263

천의 자리 숫자가 크면 더 큰 수입니다.

천의 자리	백의 자리	십의 자리	일의 자리
5	6	2	2
5	7	1	4

5622<5714

천의 자리 숫자가 같으면 백의 자리 숫자를 비교합니다.

1625>1612
6027<6029

천의 자리 숫자가 같으면 백의 자리, 백의 자리 숫자가 같으면 십의 자리, 십의 자리 숫자가 같으면 일의 자리 숫자를 비교합니다.

더 큰 수를 나타내는 것에 ○표 하세요.

5394	오천사백구십사

2004	이천사십

천오백사십오	천오백오십삼

육천칠백이	육천칠십이

1000이 1개, 100이 2개, 10이 7개, 1이 7개인 수	1722

1000이 4개, 100이 3개, 10이 5개, 1이 0개인 수	4305

1000이 3개, 100이 5개, 10이 8개, 1이 9개인 수	삼천사백팔십구

1000이 6개, 100이 0개, 10이 3개, 1이 2개인 수	육천삼백이

19강 가장 큰 수

가장 큰 수에 ◯표, 가장 작은 수에 △표 하세요.

6500	6300 (△)	7000 (◯)

7000 > 6500 > 6300

8340	8430	8520

1234	2314	4321

5234	7314	4401

1075	2502	2205

3001	3010	3100

8300	8301	9003

2460	3042	2046

4189	4098	4089

2302	2300	3200

수 카드를 모두 사용하여 가장 큰 네 자리 수와 가장 작은 네 자리 수를 만들어 보세요.

1 2 3 4

가장 큰 네 자리 수: 4321

가장 작은 네 자리 수:

천의 자리 숫자가 클수록 큰 수,
천의 자리 숫자가 작을수록 작은 수입니다.

8 9 2 1

가장 큰 네 자리 수:

가장 작은 네 자리 수:

2 5 4 7

가장 큰 네 자리 수:

가장 작은 네 자리 수:

6 3 7 5

가장 큰 네 자리 수:

가장 작은 네 자리 수:

3 0 5 6

가장 큰 네 자리 수:

가장 작은 네 자리 수:

4 5 0 0

가장 큰 네 자리 수:

가장 작은 네 자리 수:

20강 조건에 맞는 수

수 카드 4장을 한 번씩만 사용하여 설명에 맞는 네 자리 수를 모두 만들어 보세요.

천의 자리 숫자가 5, 백의 자리 숫자가 7인 네 자리 수를 모두 만들어 보세요.

5 6 7 8

십의 자리 숫자에는 6 또는 8이 들어갈 수 있습니다.

5 7 □ □, 5 7 □ □

천의 자리 숫자가 8, 십의 자리 숫자가 1인 네 자리 수를 모두 만들어 보세요.

1 2 8 9

□ □ □ □, □ □ □ □

십의 자리 숫자가 0, 일의 자리 숫자가 4인 네 자리 수를 모두 만들어 보세요.

0 2 4 6

□ □ □ □, □ □ □ □

월 일

수 카드 4장을 한 번씩만 사용하여 설명에 맞는 네 자리 수를 만들어 보세요.

천의 자리 숫자가 2인 가장 큰 수를 써 보세요.

2 5 4 9

2□□□, 천의 자리를 제외하고
높은 자리의 숫자부터 큰 수를 써넣습니다.

( )

백의 자리 숫자가 3인 가장 큰 수를 써 보세요.

8 0 1 3

( )

십의 자리 숫자가 9인 가장 작은 수를 써 보세요.

9 7 5 3

( )

일의 자리 숫자가 5인 가장 작은 수를 써 보세요.

2 5 6 0

( )

□ 안에 들어갈 수 있는 수에 모두 ◯표 하세요.

문제	수
$133\square > 1336$	0 1 2 3 4 5 6 7 8 9
$51\square1 < 5152$	0 1 2 3 4 5 6 7 8 9
$5588 > 5\square87$	0 1 2 3 4 5 6 7 8 9
$4105 < \square473$	1 2 3 4 5 6 7 8 9
$5250 > \square340$	1 2 3 4 5 6 7 8 9

$1335 < 1336$
$1336 = 1336$
$1337 > 1336$

21강~25강

5주차 뛰어 세기

21강 기준만큼 뛰어 세기

22강 뛰어 센 수 찾기

23강 뛰어 세기

24강 몇씩 몇 번

25강 어떤 수 찾기

기준만큼 뛰어 세기

빈칸에 알맞은 수를 써넣으세요.

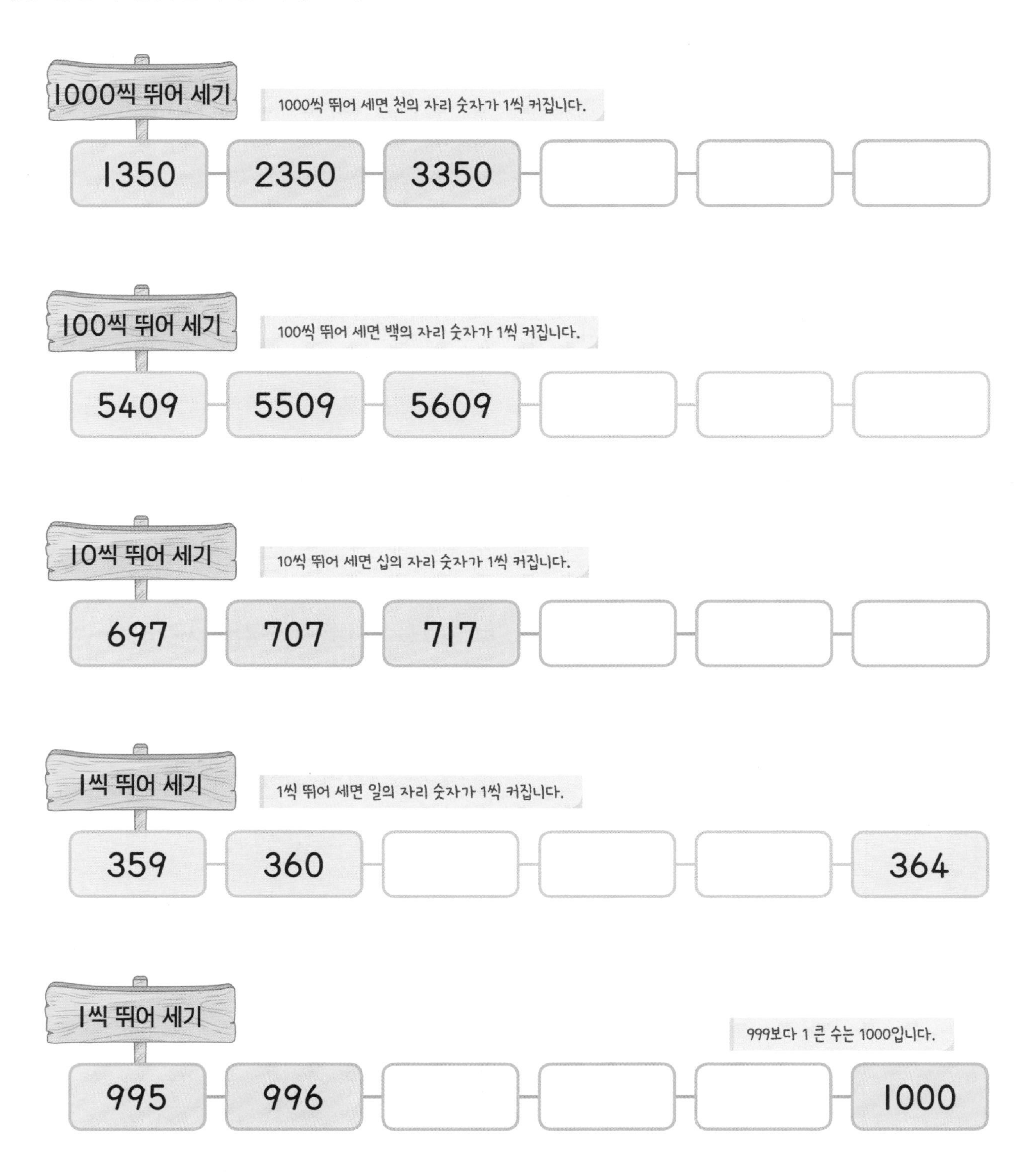

빈칸에 알맞은 수를 써넣으세요.

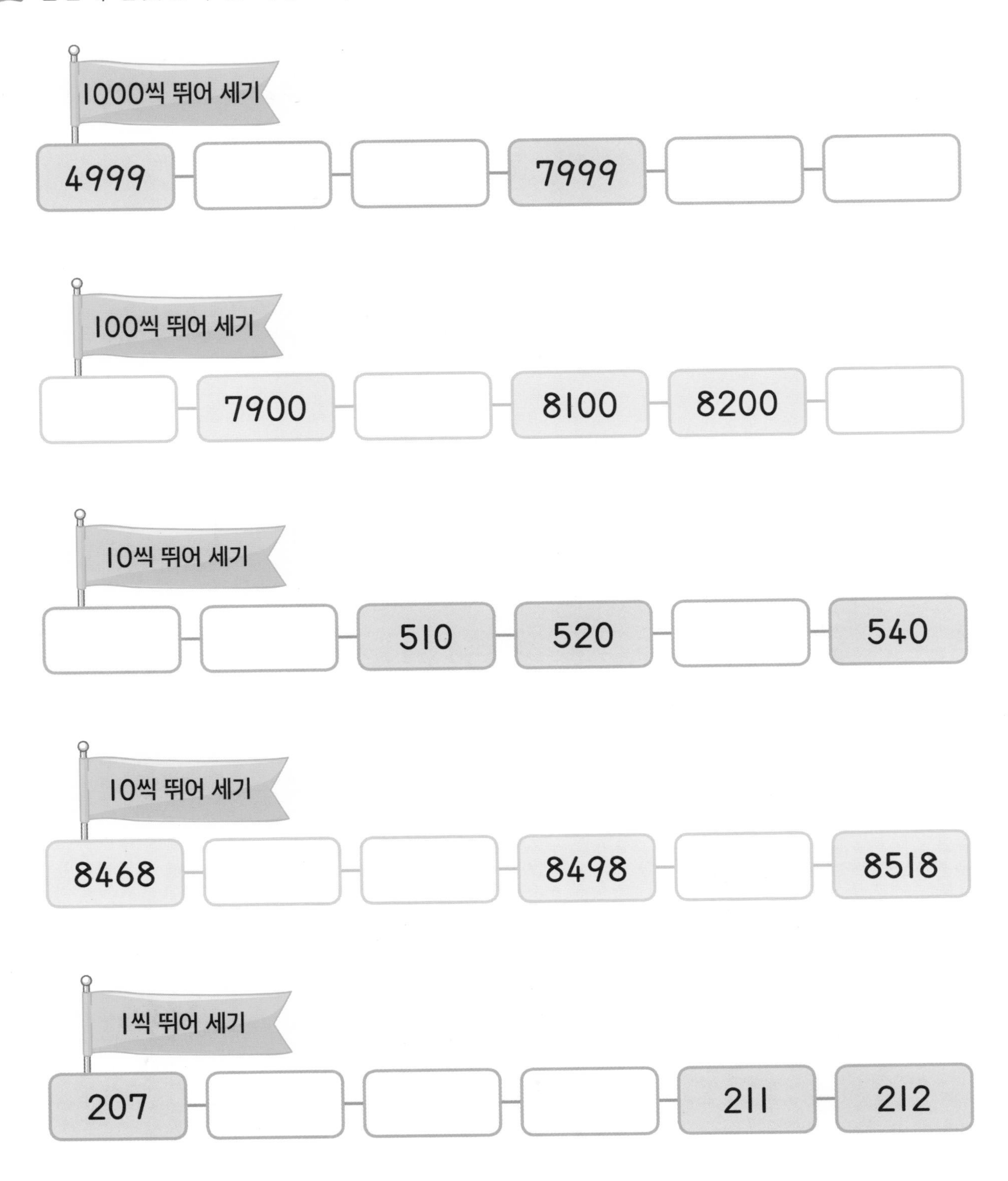

22강 뛰어 센 수 찾기

뛰어 세면서 선으로 이어 보세요.

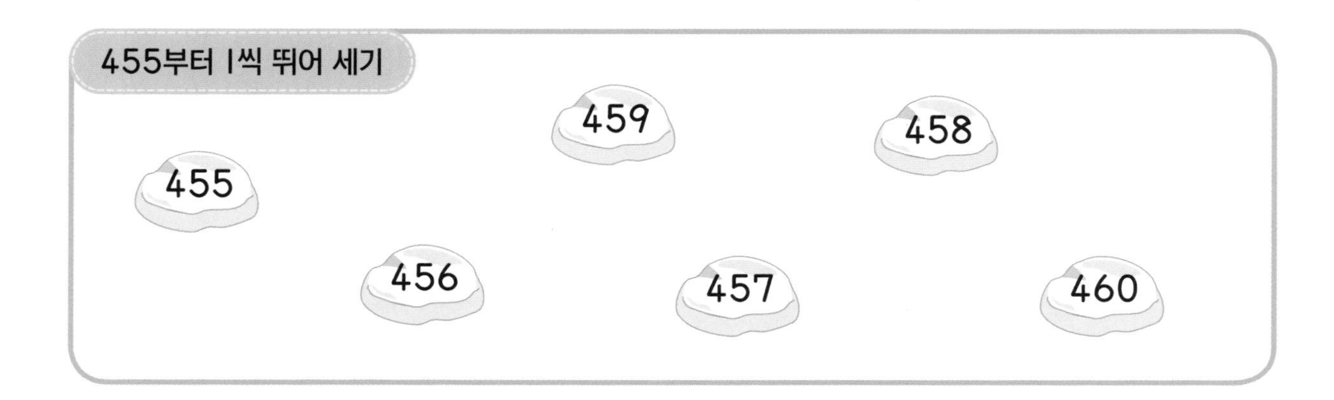

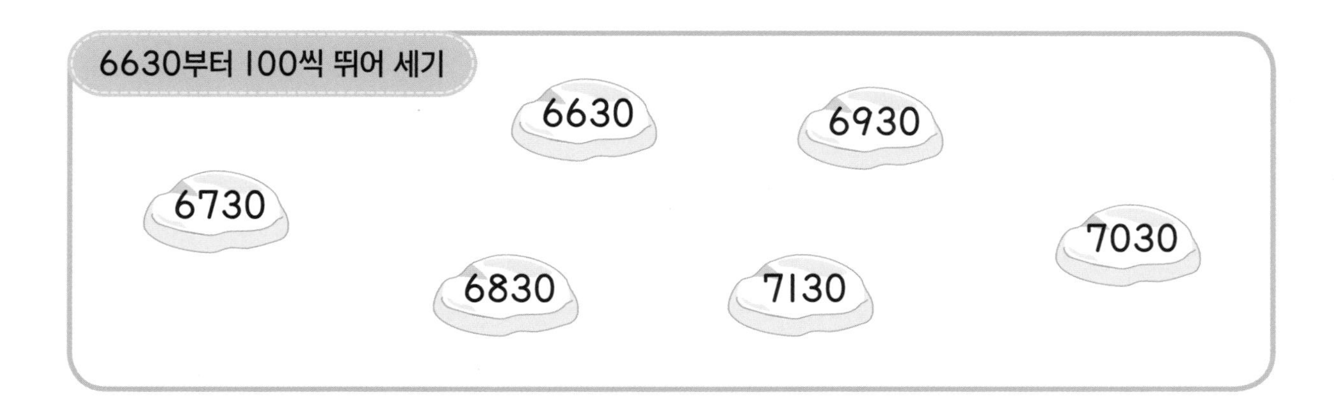

주어진 만큼 뛰어 셉니다. 규칙을 찾아 빈칸에 알맞은 수를 써넣으세요.

505부터 1씩 뛰어 세기

506	508	510	512	
505	507	509		513

3470부터 100씩 뛰어 세기

3670	3570	3470	4370	4270
3770	3870		4070	4170

8020부터 10씩 뛰어 세기

8030	8040	8070	8080	8110
8020	8050	8060	8090	

23강 뛰어 세기

빈칸에 알맞은 수를 써넣으세요.

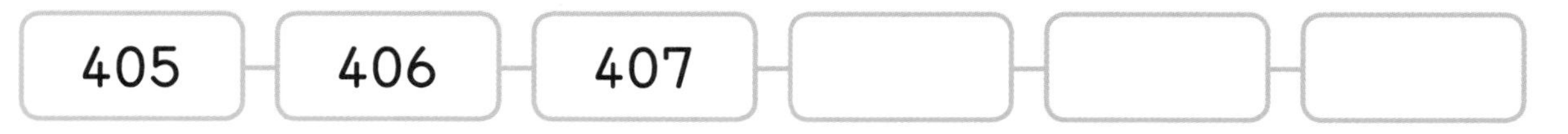

➡ ☐ 씩 뛰어서 세었습니다.

➡ ☐ 씩 뛰어서 세었습니다.

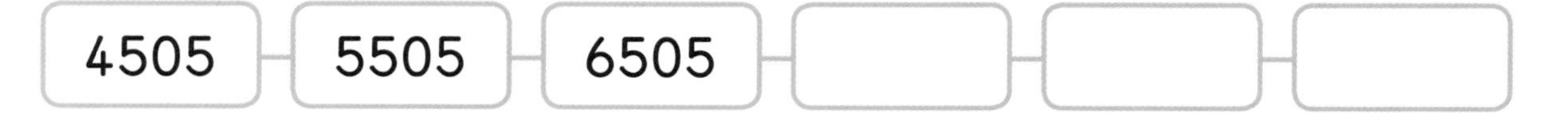

➡ ☐ 씩 뛰어서 세었습니다.

6170 - 6180 - 6190 - ☐ - ☐ - ☐

➡ ☐ 씩 뛰어서 세었습니다.

일정하게 뛰어 세었습니다. 빈칸에 알맞은 수를 써넣으세요.

323	333	343				

	4620		4640		4660	

			808			811

		6911		7111		

24 강 몇씩 몇 번

빈칸에 알맞은 수를 쓰고 물음에 답하세요.

850에서 10씩 3번 뛰어 센 수는 얼마일까요?

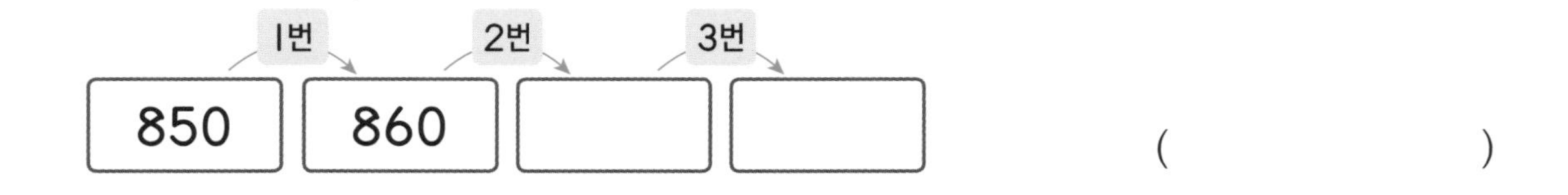

(　　　　　　)

희수는 500원을 가지고 있습니다. 매일 100원씩 5일 동안 모은다면 5일 후에 얼마가 될까요?

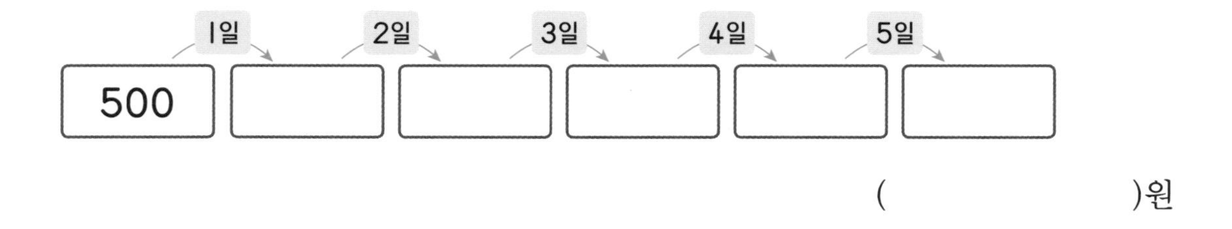

(　　　　　　)원

예지의 저금통에는 1월에 3610원이 있습니다. 2월부터 한 달에 1000원씩 저금한다면 4월에는 얼마가 될까요?

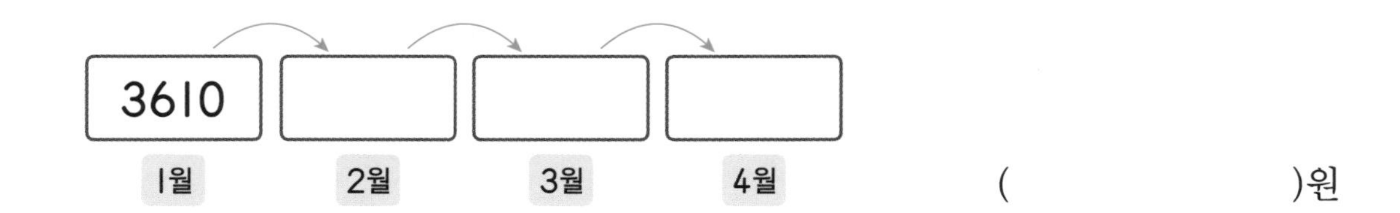

(　　　　　　)원

물음에 답하세요.

380에서 10씩 4번 뛰어 센 수는 얼마일까요?

( )

2505에서 100씩 3번 뛰어 센 수는 얼마일까요?

( )

윤기의 저금통에는 790원이 있습니다. 윤기가 10원씩 4번 더 저금한다면 저금통에는 얼마가 있게 될까요?

( )원

민서의 통장에는 5월에 4300원이 있습니다. 6월부터 한 달에 1000원씩 저금한다면 9월에는 얼마가 될까요?

( )원

어떤 수 찾기

빈칸에 알맞은 수를 써넣으세요.

576 —10 큰 수→ 586

어떤 수보다 10 큰 수는 586입니다.
576보다 10 큰 수는 586입니다.

□ —10 작은 수→ 325

□ —100 큰 수→ 240

□ —100 작은 수→ 602

□ —10 큰 수→ 960

□ —10 작은 수→ 387

□ —100 큰 수→ 1334

□ —100 작은 수→ 1070

□ —10 큰 수→ 1590

□ —10 작은 수→ 8351

□ —100 큰 수→ 5150

□ —100 작은 수→ 7000

물음에 답하세요.

어떤 수보다 10 작은 수는 200입니다. 어떤 수보다 100 큰 수는 얼마일까요?

먼저 어떤 수를 구합니다.
210보다 10 작은 수는 200입니다.

( )

어떤 수보다 100 큰 수는 543입니다. 어떤 수보다 10 작은 수는 얼마일까요?

( )

어떤 수보다 10 큰 수는 6320입니다. 어떤 수보다 100 작은 수는 얼마일까요?

( )

어떤 수보다 100 작은 수는 2800입니다. 어떤 수보다 10 큰 수는 얼마일까요?

( )

빈칸에 알맞은 수를 쓰고 물음에 답하세요.

어떤 수에서 10씩 2번 뛰어 센 수가 160입니다. 어떤 수는 얼마일까요?

(　　　　　　)

어떤 수에서 100씩 거꾸로 2번 뛰어 센 수가 525입니다. 어떤 수는 얼마일까요?

(　　　　　　)

어떤 수에서 100씩 4번 뛰어 센 수가 1540입니다. 어떤 수는 얼마일까요?

(　　　　　　)

어떤 수에서 10씩 거꾸로 3번 뛰어 센 수가 3510입니다. 어떤 수는 얼마일까요?

(　　　　　　)

정답

8·9쪽

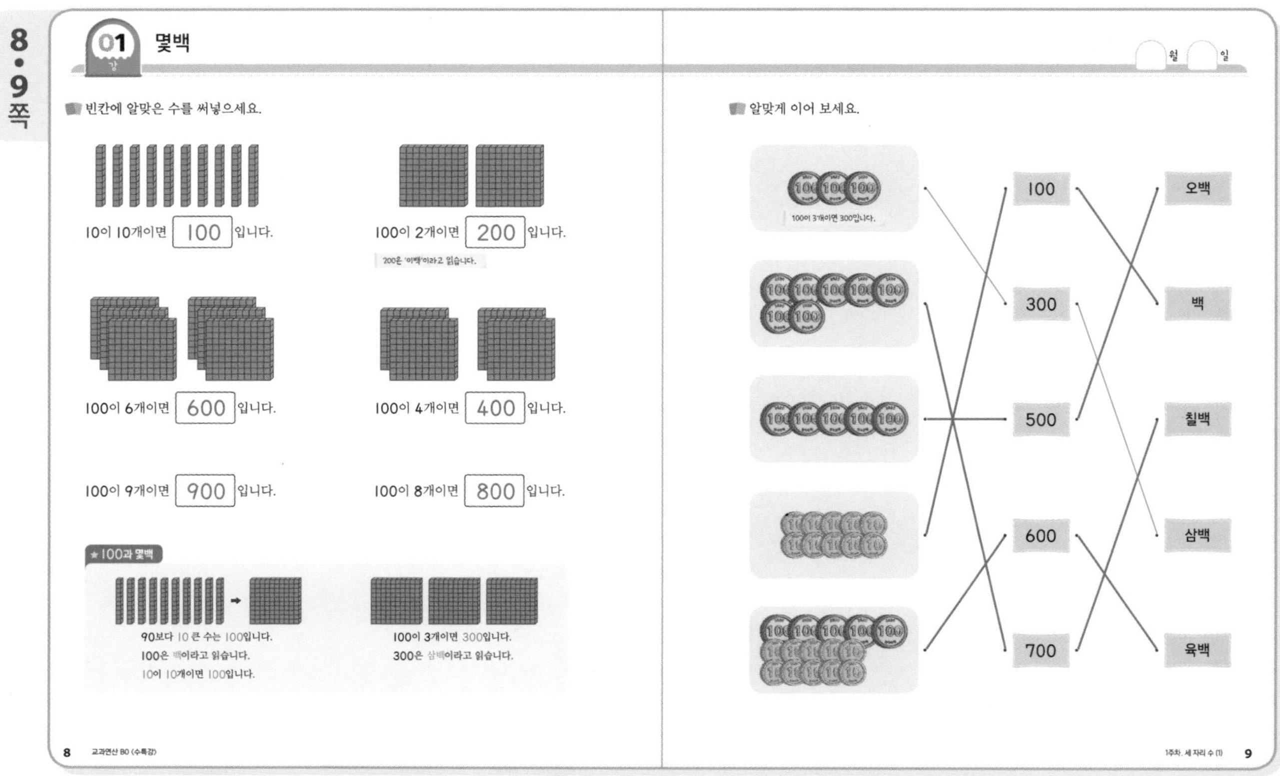

01 강 몇백

월 일

빈칸에 알맞은 수를 써넣으세요.

10이 10개이면 100 입니다.

100이 2개이면 200 입니다.

'200은 '이백'이라고 읽습니다.

100이 6개이면 600 입니다.

100이 4개이면 400 입니다.

100이 9개이면 900 입니다.

100이 8개이면 800 입니다.

★100과 몇백

90보다 10 큰 수는 100입니다.
100은 백이라고 읽습니다.
10이 10개이면 100입니다.

100이 3개이면 300입니다.
300은 삼백이라고 읽습니다.

알맞게 이어 보세요.

100이 3개이면 300입니다.

100	오백
300	백
500	칠백
600	삼백
700	육백

10·11쪽

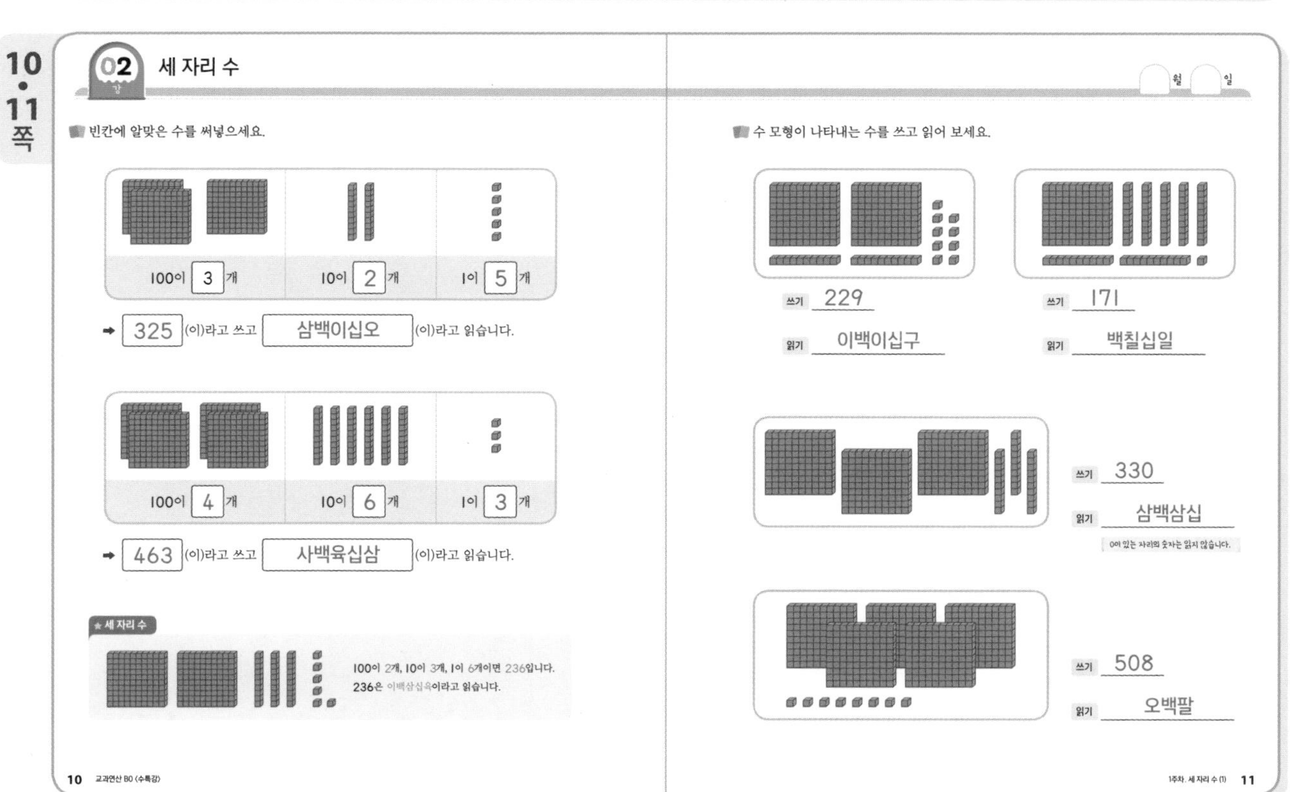

02 강 세 자리 수

월 일

빈칸에 알맞은 수를 써넣으세요.

100이 3 개 | 10이 2 개 | 1이 5 개

➡ 325 (이)라고 쓰고 삼백이십오 (이)라고 읽습니다.

100이 4 개 | 10이 6 개 | 1이 3 개

➡ 463 (이)라고 쓰고 사백육십삼 (이)라고 읽습니다.

★세 자리 수

100이 2개, 10이 3개, 1이 6개이면 236입니다.
236은 이백삼십육이라고 읽습니다.

수 모형이 나타내는 수를 쓰고 읽어 보세요.

쓰기 229
읽기 이백이십구

쓰기 171
읽기 백칠십일

쓰기 330
읽기 삼백삼십

0이 있는 자리의 숫자는 읽지 않습니다.

쓰기 508
읽기 오백팔

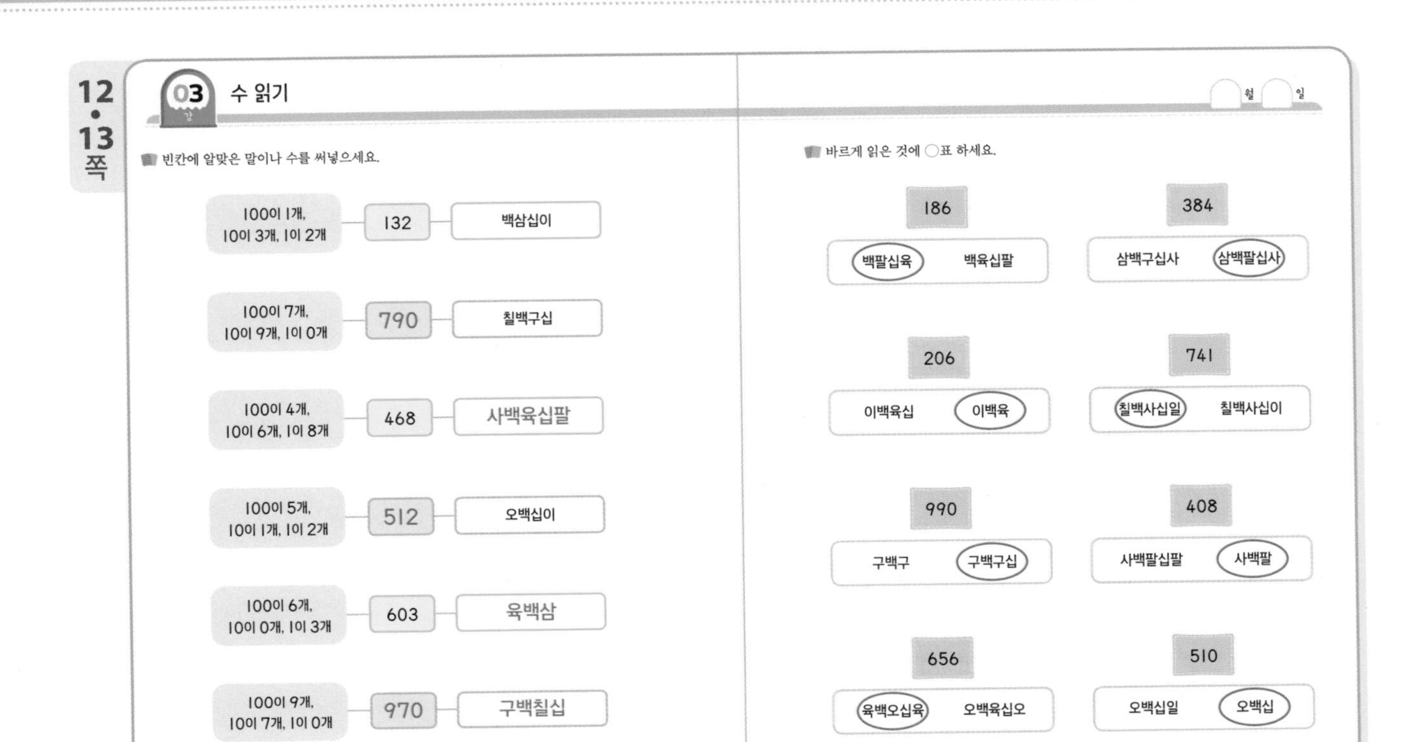

12·13쪽

03강 수 읽기

빈칸에 알맞은 말이나 수를 써넣으세요.

수의 구성	수	읽기
100이 1개, 10이 3개, 1이 2개	132	백삼십이
100이 7개, 10이 9개, 1이 0개	790	칠백구십
100이 4개, 10이 6개, 1이 8개	468	사백육십팔
100이 5개, 10이 1개, 1이 2개	512	오백십이
100이 6개, 10이 0개, 1이 3개	603	육백삼
100이 9개, 10이 7개, 1이 0개	970	구백칠십

12 교과연산 B0 (수특강)

월 일

바르게 읽은 것에 ○표 하세요.

수	보기	보기	○표 한 것
186	백팔십육	백육십팔	백팔십육
384	삼백구십사	삼백팔십사	삼백팔십사
206	이백육십	이백육	이백육
741	칠백사십일	칠백사십이	칠백사십일
990	구백구	구백구십	구백구십
408	사백팔십팔	사백팔	사백팔
656	육백오십육	오백육십오	육백오십육
510	오백십일	오백십	오백십

1주차. 세 자리 수 (1) 13

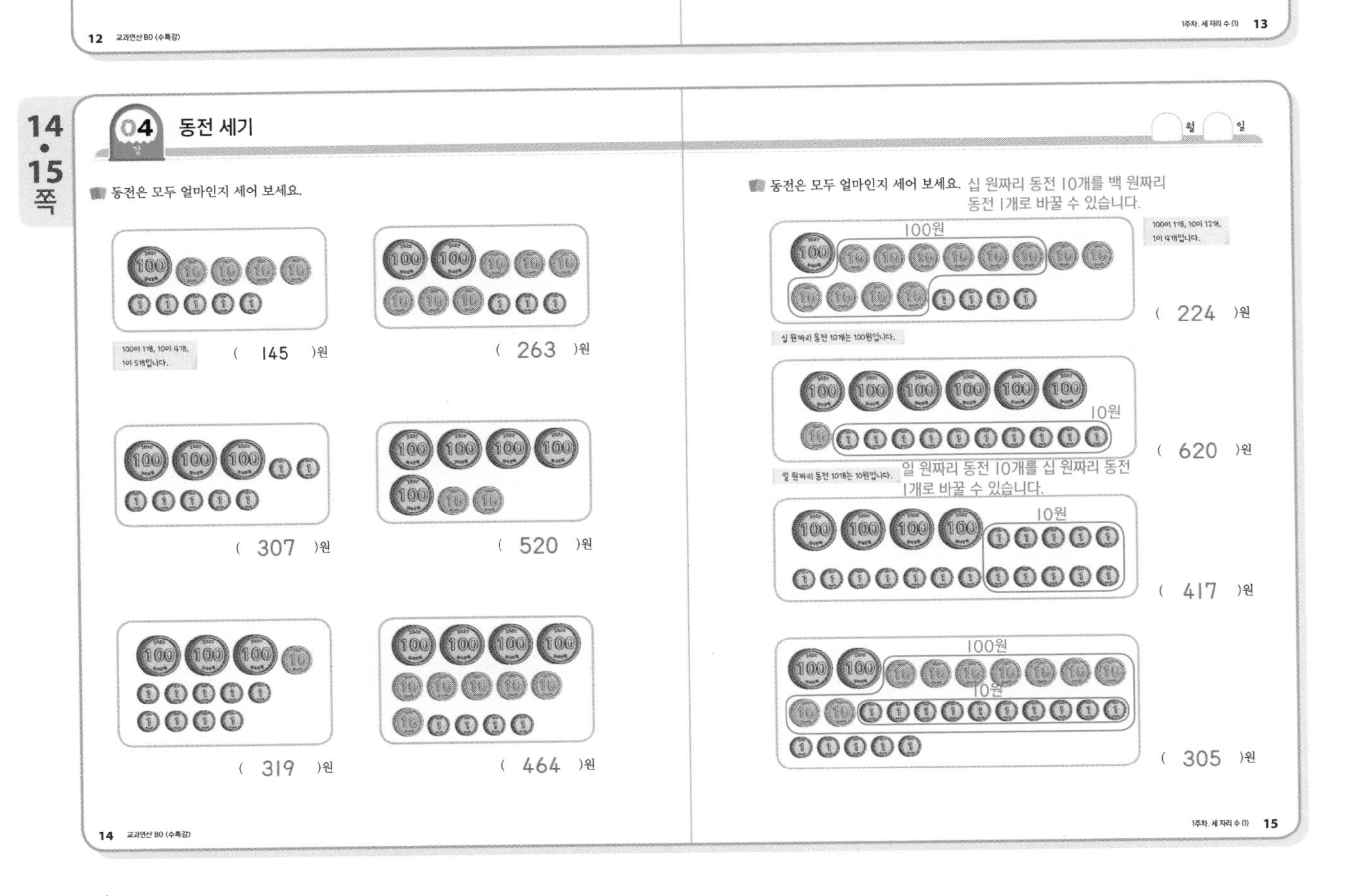

14·15쪽

04강 동전 세기

동전은 모두 얼마인지 세어 보세요.

(145)원 — 100이 1개, 10이 4개, 1이 5개입니다.

(263)원

(307)원

(520)원

(319)원

(464)원

14 교과연산 B0 (수특강)

월 일

동전은 모두 얼마인지 세어 보세요.

십 원짜리 동전 10개를 백 원짜리 동전 1개로 바꿀 수 있습니다.

(224)원 — 100이 1개, 10이 12개, 1이 4개입니다. 십 원짜리 동전 10개는 100원입니다.

(620)원 — 일 원짜리 동전 10개는 10원입니다.

일 원짜리 동전 10개를 십 원짜리 동전 1개로 바꿀 수 있습니다.

(417)원

(305)원

1주차. 세 자리 수 (1) 15

정답

16 • 17쪽

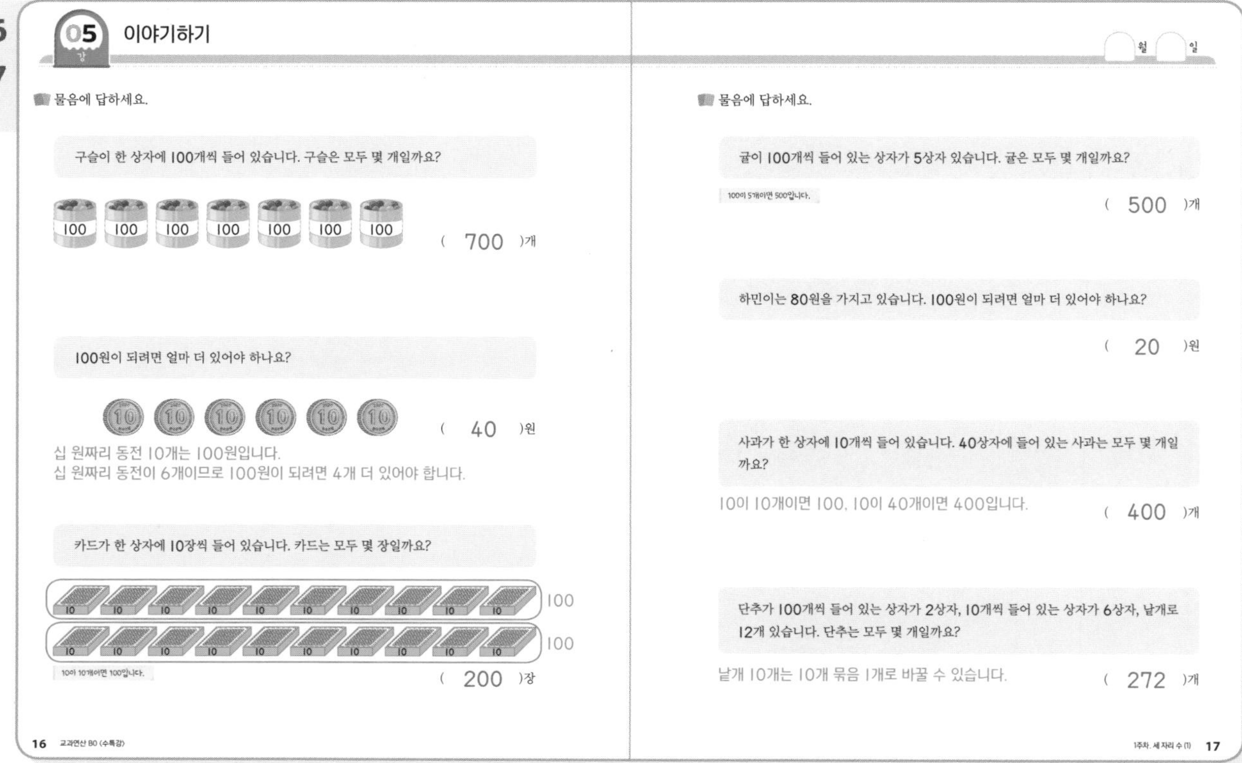

05 강 이야기하기

월 일

물음에 답하세요.

구슬이 한 상자에 100개씩 들어 있습니다. 구슬은 모두 몇 개일까요?

100 100 100 100 100 100 100

(700)개

100원이 되려면 얼마 더 있어야 하나요?

10 10 10 10 10 10

(40)원

십 원짜리 동전 10개는 100원입니다.
십 원짜리 동전이 6개이므로 100원이 되려면 4개 더 있어야 합니다.

카드가 한 상자에 10장씩 들어 있습니다. 카드는 모두 몇 장일까요?

10 10 10 10 10 10 10 10 10 10 → 100
10 10 10 10 10 10 10 10 10 10 → 100

10이 10개이면 100입니다.

(200)장

물음에 답하세요.

귤이 100개씩 들어 있는 상자가 5상자 있습니다. 귤은 모두 몇 개일까요?

100이 5개이면 500입니다.

(500)개

하민이는 80원을 가지고 있습니다. 100원이 되려면 얼마 더 있어야 하나요?

(20)원

사과가 한 상자에 10개씩 들어 있습니다. 40상자에 들어 있는 사과는 모두 몇 개일까요?

10이 10개이면 100, 10이 40개이면 400입니다.

(400)개

단추가 100개씩 들어 있는 상자가 2상자, 10개씩 들어 있는 상자가 6상자, 낱개로 12개 있습니다. 단추는 모두 몇 개일까요?

낱개 10개는 10개 묶음 1개로 바꿀 수 있습니다.

(272)개

16 교과연산 B0 (수특강)

1주차. 세 자리 수 (1) 17

18쪽

동전 4개 중 3개를 사용하여 나타낼 수 있는 세 자리 수를 모두 구해 보세요.

100 100 10 10

(100)(100)(10) → 210
(100)(10)(10) → 120

세 자리 수를 만들므로 백 원짜리 동전 1개는 무조건 사용합니다.

100 10 1 1

(100)(10)(1) → 111
(100)(1)(1) → 102

100 10 10 1

(100)(10)(10) → 120
(100)(10)(1) → 111

100 100 10 1

(100)(100)(10) → 210
(100)(100)(1) → 201
(100)(10)(1) → 111

18 교과연산 B0 (수특강)

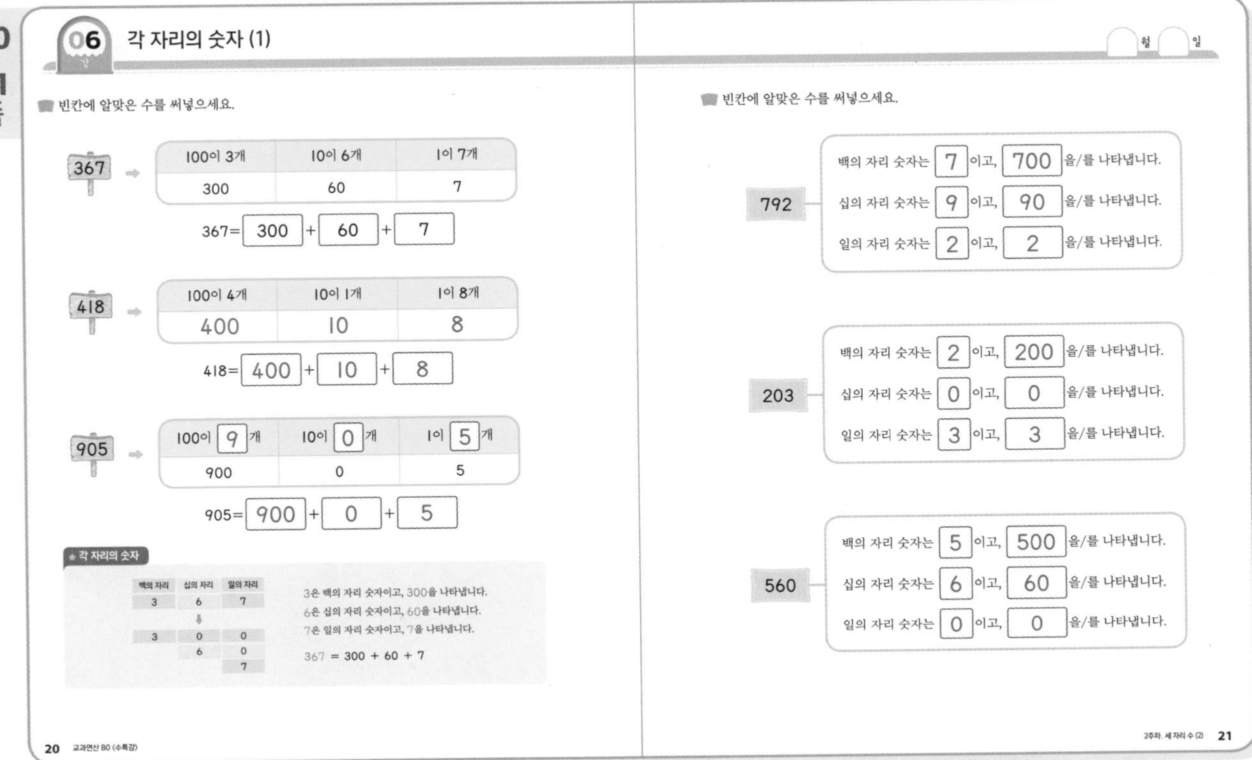
20·21쪽
06 각 자리의 숫자 (1)
빈칸에 알맞은 수를 써넣으세요.
367 → 100이 3개 300 / 10이 6개 60 / 1이 7개 7
367= 300 + 60 + 7
418 → 100이 4개 400 / 10이 1개 10 / 1이 8개 8
418= 400 + 10 + 8
905 → 100이 9개 900 / 10이 0개 0 / 1이 5개 5
905= 900 + 0 + 5
각 자리의 숫자
3은 백의 자리 숫자이고, 300을 나타냅니다.
6은 십의 자리 숫자이고, 60을 나타냅니다.
7은 일의 자리 숫자이고, 7을 나타냅니다.
367 = 300 + 60 + 7
빈칸에 알맞은 수를 써넣으세요.
792 백의 자리 숫자는 7이고, 700을/를 나타냅니다.
십의 자리 숫자는 9이고, 90을/를 나타냅니다.
일의 자리 숫자는 2이고, 2을/를 나타냅니다.
203 백의 자리 숫자는 2이고, 200을/를 나타냅니다.
십의 자리 숫자는 0이고, 0을/를 나타냅니다.
일의 자리 숫자는 3이고, 3을/를 나타냅니다.
560 백의 자리 숫자는 5이고, 500을/를 나타냅니다.
십의 자리 숫자는 6이고, 60을/를 나타냅니다.
일의 자리 숫자는 0이고, 0을/를 나타냅니다.

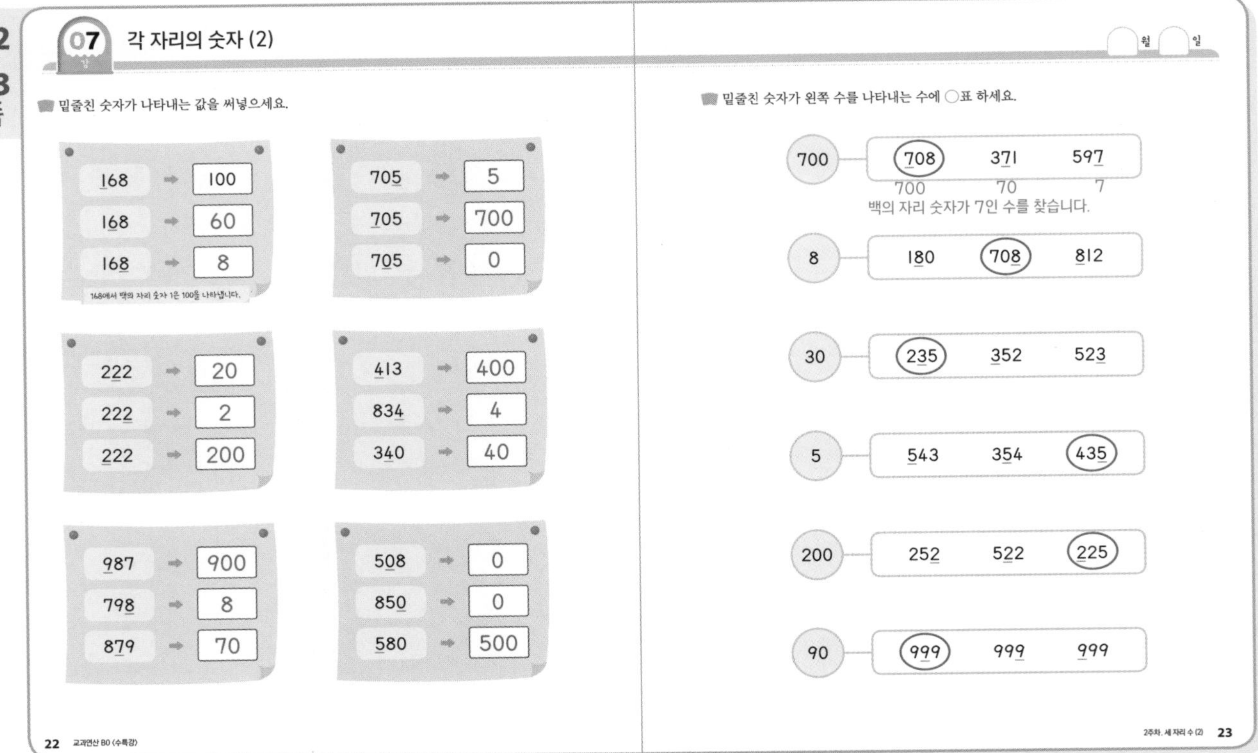
22·23쪽
07 각 자리의 숫자 (2)
밑줄친 숫자가 나타내는 값을 써넣으세요.
168 → 100
168 → 60
168 → 8
168에서 백의 자리 숫자 1은 100을 나타냅니다.
705 → 5
705 → 700
705 → 0
222 → 20
222 → 2
222 → 200
413 → 400
834 → 4
340 → 40
987 → 900
798 → 8
879 → 70
508 → 0
850 → 0
580 → 500
밑줄친 숫자가 왼쪽 수를 나타내는 수에 ○표 하세요.
700 (708) 371 597
백의 자리 숫자가 7인 수를 찾습니다.
8 180 (708) 812
30 (235) 352 523
5 543 354 (435)
200 252 522 (225)
90 (999) 999 999

정답

24·25쪽

08강 큰 수, 작은 수

두 수의 크기를 비교하여 ○ 안에 >, <를 알맞게 써넣으세요.

780 (>) 647　　591 (<) 803

435 (<) 451　　280 (>) 244

347 (<) 348　　812 (<) 815

605 (>) 506　　337 (<) 373

954 (>) 854　　710 (>) 706

★ 두 수의 크기 비교

백의 자리	십의 자리	일의 자리
3	5	6
2	1	8

356>218
백의 자리 숫자가 크면 더 큰 수입니다.

백의 자리	십의 자리	일의 자리
1	3	7
1	4	5

137<145
백의 자리 숫자가 같으면 십의 자리 숫자를 비교합니다.

백의 자리	십의 자리	일의 자리
5	0	8
5	0	4

508>504
백의 자리, 십의 자리 숫자가 같으면 일의 자리 숫자를 비교합니다.

월 일

세 자리 수의 일부가 지워졌습니다. 두 수의 크기를 비교하여 ○ 안에 >, <를 알맞게 써넣으세요.

4■5 (>) 3■7　　5 1■ (<) 5 3■

백의 자리 숫자가 다르므로 그 아래 자리 숫자는 비교하지 않아도 됩니다.

2 6■ (<) 4 2■　　8■7 (<) 9 5■

1 7■ (>) 1 3■　　7 0■ (<) 7 9■

3■8 (<) 4■9　　6 0■ (>) 5■0

1 6■ (>) 1 4■　　3■9 (<) 4 1■

9■0 (>) 8■9　　2 7■ (>) 2 6■

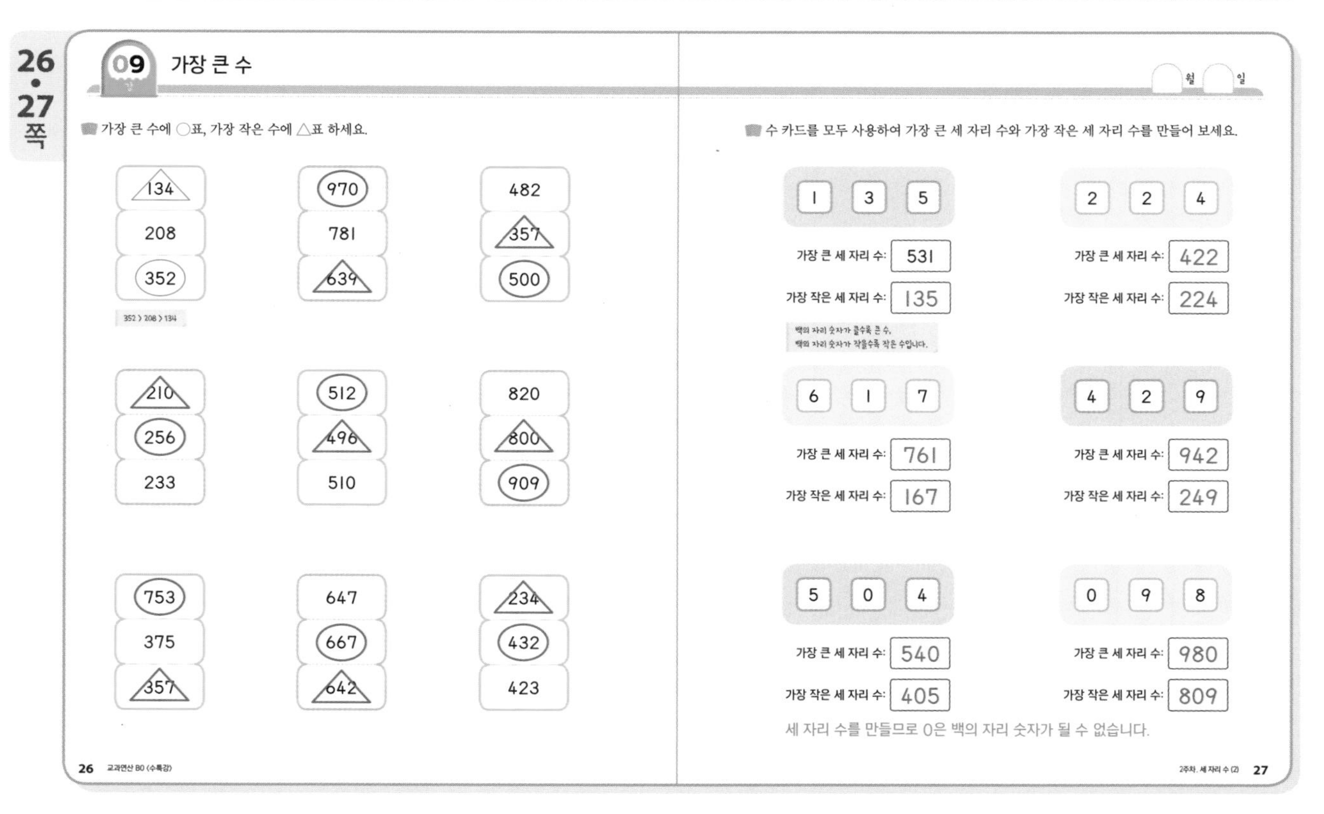

26·27쪽

09강 가장 큰 수

가장 큰 수에 ○표, 가장 작은 수에 △표 하세요.

△134, 208, ○352　　○970, 781, △639　　482, △357, ○500

352 > 208 > 134

△210, ○256, 233　　○512, △496, 510　　820, △800, ○909

○753, 375, △357　　647, ○667, △642　　△234, ○432, 423

월 일

수 카드를 모두 사용하여 가장 큰 세 자리 수와 가장 작은 세 자리 수를 만들어 보세요.

1 3 5
가장 큰 세 자리 수: 531
가장 작은 세 자리 수: 135

백의 자리 숫자가 클수록 큰 수, 백의 자리 숫자가 작을수록 작은 수입니다.

2 2 4
가장 큰 세 자리 수: 422
가장 작은 세 자리 수: 224

6 1 7
가장 큰 세 자리 수: 761
가장 작은 세 자리 수: 167

4 2 9
가장 큰 세 자리 수: 942
가장 작은 세 자리 수: 249

5 0 4
가장 큰 세 자리 수: 540
가장 작은 세 자리 수: 405

세 자리 수를 만들므로 0은 백의 자리 숫자가 될 수 없습니다.

0 9 8
가장 큰 세 자리 수: 980
가장 작은 세 자리 수: 809

28 • 29쪽

10 조건에 맞는 수

□ 안에 들어갈 수 있는 수에 모두 ○표 하세요.

54□ < 543 : (0) (1) (2) 3 4

수를 하나씩 넣어 보며 식이 맞는지 확인합니다.

355 < 3□5 : 5 (6) (7) (8) (9)

262 > 26□ : (0) (1) 2 3 4

□90 > 790 : 5 6 7 (8) (9)

37□ > 374 : 0 1 2 3 4 (5) (6) (7) (8) (9)

1□0 < 139 : (0) (1) (2) (3) 4 5 6 7 8 9

590 > □91 : (1) (2) (3) (4) 5 6 7 8 9

설명을 읽고 알맞은 수를 모두 구해 보세요.

백의 자리 숫자가 6, 십의 자리 숫자가 4인 수 중에서 646보다 큰 세 자리 수를 모두 써 보세요. [6][4][ ]

64□ > 646

(647 , 648 , 649)

백의 자리 숫자가 2, 일의 자리 숫자가 2인 수 중에서 232보다 작은 세 자리 수를 모두 써 보세요. [2][ ][2]

(202 , 212 , 222)

십의 자리 숫자가 7, 일의 자리 숫자가 5인 수 중에서 675보다 큰 세 자리 수를 모두 써 보세요. [ ][7][5]

(775 , 875 , 975)

십의 자리 숫자가 0, 일의 자리 숫자가 3인 수 중에서 403보다 작은 세 자리 수를 모두 써 보세요. [ ][0][3]

(103 , 203 , 303)

30쪽

설명을 읽고 알맞은 세 자리 수를 구해 보세요.

백의 자리 숫자는 4입니다.
십의 자리 숫자는 8보다 큽니다. → 9
일의 자리 숫자는 십의 자리 숫자와 같습니다.

(499)

백의 자리 숫자는 700을 나타냅니다.
각 자리 숫자의 합은 12입니다. 7+0+5=12
십의 자리 숫자는 0을 나타냅니다.

(705)

500보다 크고 600보다 작습니다. 백의 자리 숫자는 5
십의 자리 숫자와 일의 자리 숫자의 합은 15입니다. 7+8=15
일의 자리 숫자는 8입니다.

(578)

371보다 크고 388보다 작습니다. 백의 자리 숫자는 3
백의 자리 숫자와 일의 자리 숫자는 같습니다.
백의 자리 숫자와 십의 자리 숫자의 합은 10입니다.
3+7=10

(373)

정답

32•33쪽

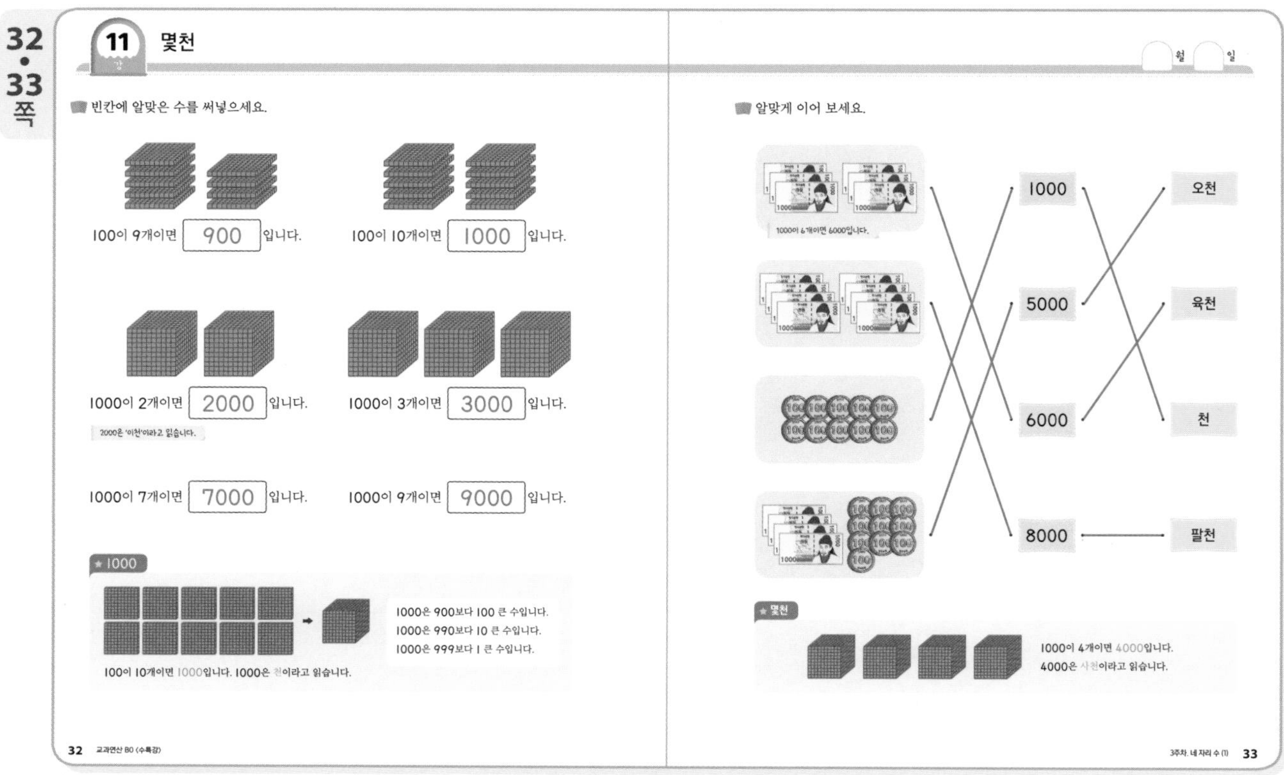

11 강 몇천

빈칸에 알맞은 수를 써넣으세요.

100이 9개이면 900 입니다.

100이 10개이면 1000 입니다.

1000이 2개이면 2000 입니다.

2000은 '이천'이라고 읽습니다.

1000이 3개이면 3000 입니다.

1000이 7개이면 7000 입니다.

1000이 9개이면 9000 입니다.

★ 1000

1000은 900보다 100 큰 수입니다.
1000은 990보다 10 큰 수입니다.
1000은 999보다 1 큰 수입니다.

100이 10개이면 1000입니다. 1000은 천이라고 읽습니다.

32 교과연산 B0 〈수특강〉

월 일

알맞게 이어 보세요.

1000이 6개이면 6000입니다.

수	읽기
1000	오천
5000	육천
6000	천
8000	팔천

★ 몇천

1000이 4개이면 4000입니다.
4000은 사천이라고 읽습니다.

3주차. 네 자리 수 (1) 33

34•35쪽

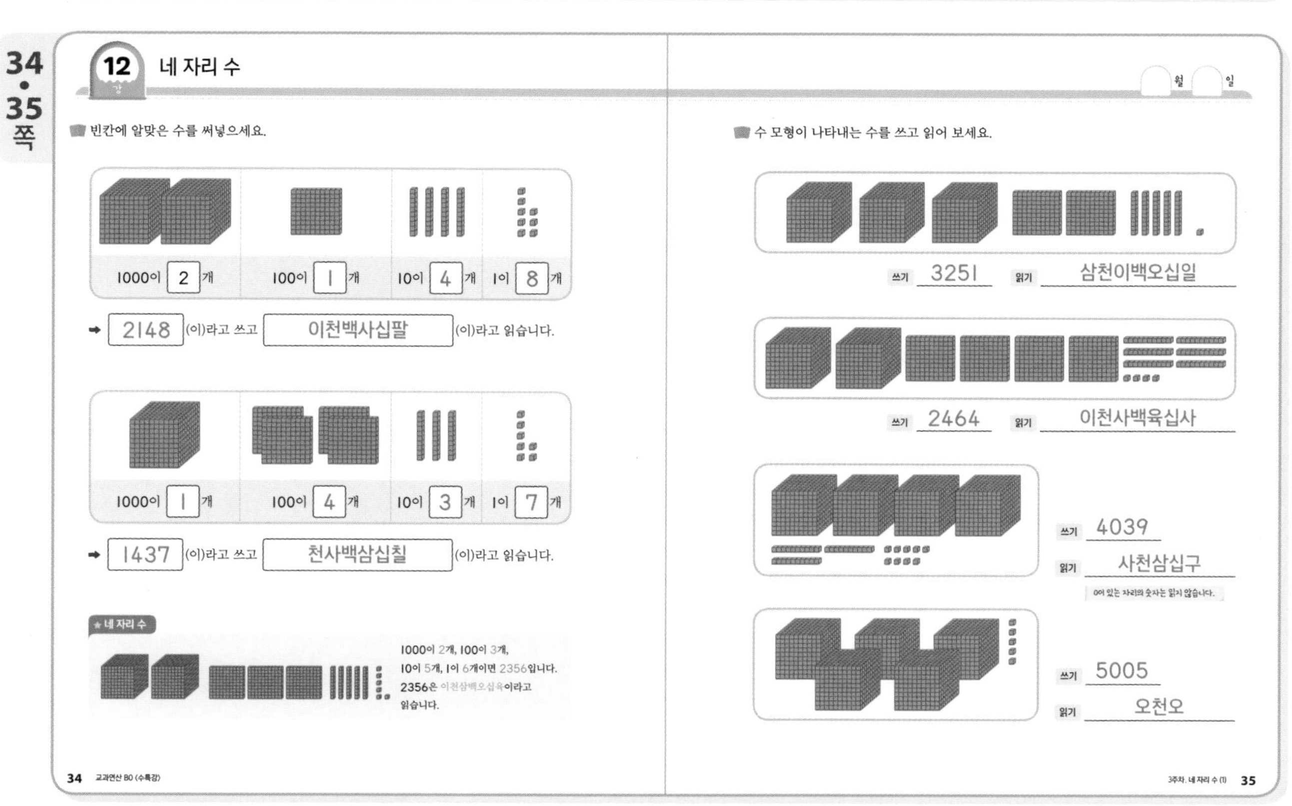

12 강 네 자리 수

빈칸에 알맞은 수를 써넣으세요.

1000이 2 개	100이 1 개	10이 4 개	1이 8 개

➡ 2148 (이)라고 쓰고 이천백사십팔 (이)라고 읽습니다.

1000이 1 개	100이 4 개	10이 3 개	1이 7 개

➡ 1437 (이)라고 쓰고 천사백삼십칠 (이)라고 읽습니다.

★ 네 자리 수

1000이 2개, 100이 3개,
10이 5개, 1이 6개이면 2356입니다.
2356은 이천삼백오십육이라고
읽습니다.

34 교과연산 B0 〈수특강〉

월 일

수 모형이 나타내는 수를 쓰고 읽어 보세요.

쓰기 3251 읽기 삼천이백오십일

쓰기 2464 읽기 이천사백육십사

쓰기 4039
읽기 사천삼십구

0이 있는 자리의 숫자는 읽지 않습니다.

쓰기 5005
읽기 오천오

3주차. 네 자리 수 (1) 35

36·37쪽

13 수 읽기

빈칸에 알맞은 말이나 수를 써넣으세요.

1000이 6개, 100이 2개, 10이 4개, 1이 3개	6243	육천이백사십삼
1000이 2개, 100이 3개, 10이 2개, 1이 1개	2321	이천삼백이십일
1000이 7개, 100이 4개, 10이 0개, 1이 7개	7407	칠천사백칠
1000이 3개, 100이 8개, 10이 0개, 1이 0개	3800	삼천팔백
1000이 6개, 100이 0개, 10이 0개, 1이 8개	6008	육천팔
1000이 9개, 100이 0개, 10이 9개, 1이 9개	9099	구천구십구

바르게 읽은 것에 ○표 하세요.

수	보기 1	보기 2
4512	사천오백이십일	(사천오백십이)
5600	(오천육백)	오천육십
4004	(사천사)	사천백사
9127	구천백삼십칠	(구천백이십칠)
1905	(천구백오)	천구백오십
7654	칠천육백오십삼	(칠천육백오십사)
8090	팔천구백	(팔천구십)
3062	(삼천육십이)	삼백육십이
6301	육천삼십일	(육천삼백일)

38·39쪽

14 지폐와 동전 세기

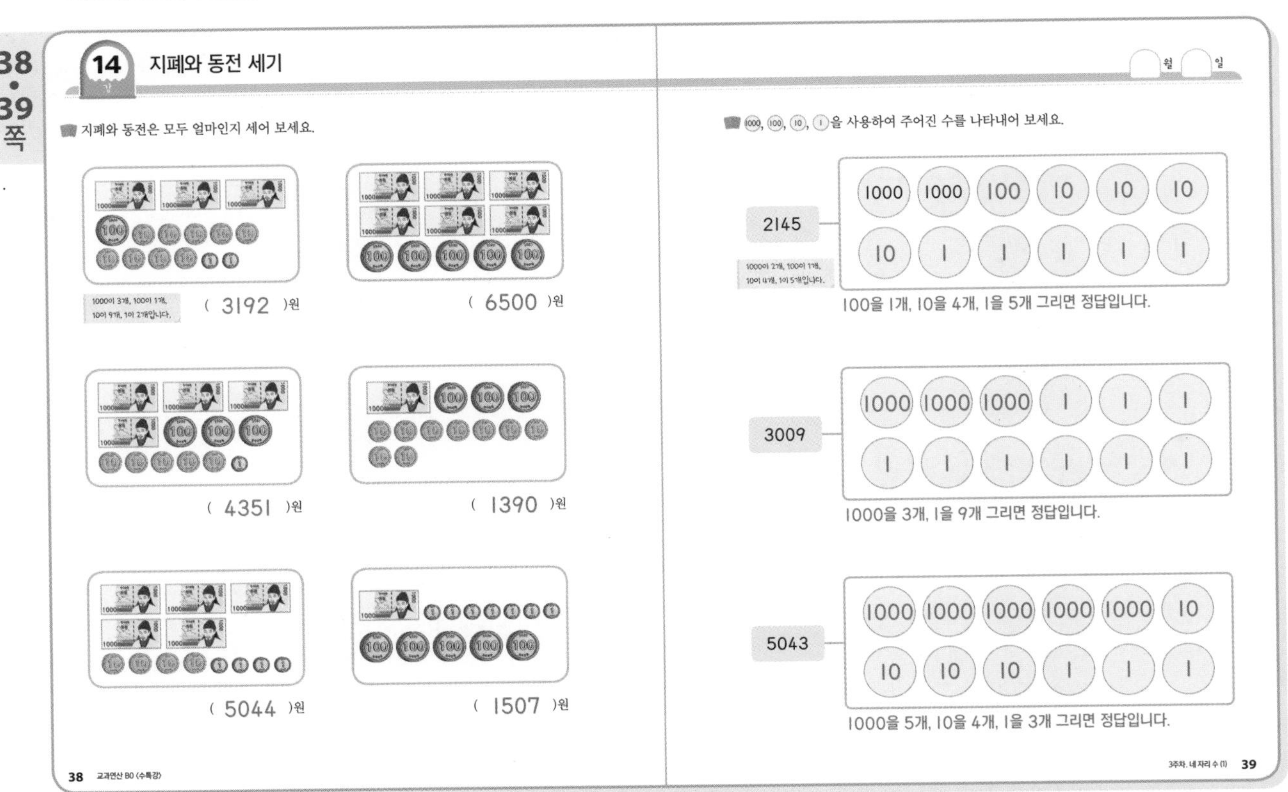

지폐와 동전은 모두 얼마인지 세어 보세요.

1000이 3개, 100이 1개, 10이 9개, 1이 2개입니다.

(3192)원

(6500)원

(4351)원

(1390)원

(5044)원

(1507)원

1000, 100, 10, 1을 사용하여 주어진 수를 나타내어 보세요.

2145: 1000 1000 100 10 10 10 10 1 1 1 1 1

1000이 2개, 100이 1개, 10이 4개, 1이 5개입니다.

100을 1개, 10을 4개, 1을 5개 그리면 정답입니다.

3009: 1000 1000 1000 1 1 1 1 1 1 1 1 1

1000을 3개, 1을 9개 그리면 정답입니다.

5043: 1000 1000 1000 1000 1000 10 10 10 10 1 1 1

1000을 5개, 10을 4개, 1을 3개 그리면 정답입니다.

40·41쪽

15 이야기하기

월 일

물음에 답하세요.

색종이가 한 묶음에 1000장씩 묶여 있습니다. 색종이는 모두 몇 장일까요?

(6000)장

1000원이 되려면 얼마 더 있어야 하나요?

(500)원

백 원짜리 동전 10개는 1000원입니다.
백 원짜리 동전이 5개이므로 1000원이 되려면 5개 더 있어야 합니다.

귤이 한 상자에 100개씩 들어 있습니다. 25상자에 있는 귤은 모두 몇 개일까요?

1000 1000 500

(2500)개

물음에 답하세요.

한 상자에 1000개씩 들어 있는 단추를 7상자 샀습니다. 단추를 모두 몇 개 샀을까요?

(7000)개

민아는 스케치북을 사면서 천 원짜리 지폐 2장과 백 원짜리 동전 6개를 냈습니다. 민아가 낸 돈은 얼마일까요?

(2600)원

은우는 천 원짜리 지폐 5장과 백 원짜리 동전 13개를 가지고 있습니다. 은우가 가진 돈은 얼마일까요?

백 원짜리 동전 10개는 1000원입니다.

(6300)원

백 원짜리 동전 10개는 천 원짜리 지폐 1장으로 바꿀 수 있습니다.

구슬이 한 상자에 100개씩 들어 있습니다. 50상자에 들어 있는 구슬은 모두 몇 개일까요?

100이 10개이면 1000, 100이 50개이면 5000입니다. (5000)개

42쪽

물음에 답하세요.

공책이 한 권에 1000원이고, 채은이는 990원을 가지고 있습니다. 채은이가 공책 한 권을 사려면 얼마 더 있어야 하나요?

990보다 10 큰 수는 1000입니다. (10)원

색종이를 한 상자에 1000장씩 담으려고 합니다. 색종이 3000장을 담으려면 상자는 몇 개 필요할까요?

(3)개

종우는 백 원짜리 동전 7개와 십 원짜리 동전 10개를 가지고 있습니다. 1000원이 되려면 얼마 더 있어야 하나요?

종우가 가진 돈이 얼마인지 알아봅니다.

(200)원

종우는 800원을 가지고 있습니다.

승호는 2000원을 가지고 있는데 모두 백 원짜리 동전으로만 가지고 있습니다. 승호는 백 원짜리 동전을 몇 개 가지고 있을까요?

100이 20개이면 2000입니다. (20)개

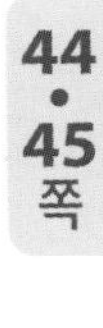

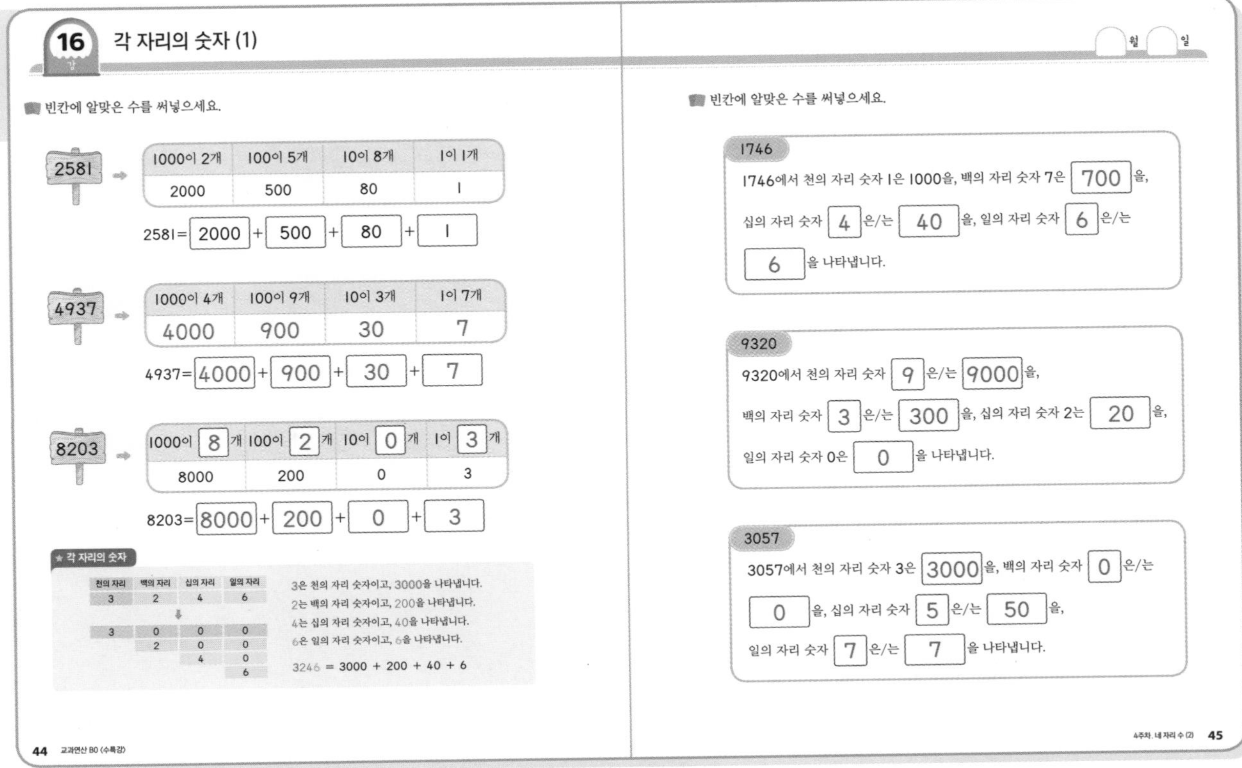

16 각 자리의 숫자 (1)
빈칸에 알맞은 수를 써넣으세요.
2581
1000이 2개 100이 5개 10이 8개 1이 1개
2000 500 80 1
2581=2000+500+80+1
4937
1000이 4개 100이 9개 10이 3개 1이 7개
4000 900 30 7
4937=4000+900+30+7
8203
1000이 8개 100이 2개 10이 0개 1이 3개
8000 200 0 3
8203=8000+200+0+3
각 자리의 숫자
3은 천의 자리 숫자이고, 3000을 나타냅니다.
2는 백의 자리 숫자이고, 200을 나타냅니다.
4는 십의 자리 숫자이고, 40을 나타냅니다.
6은 일의 자리 숫자이고, 6을 나타냅니다.
3246 = 3000 + 200 + 40 + 6
빈칸에 알맞은 수를 써넣으세요.
1746
1746에서 천의 자리 숫자 1은 1000을, 백의 자리 숫자 7은 700을, 십의 자리 숫자 4은/는 40을, 일의 자리 숫자 6은/는 6을 나타냅니다.
9320
9320에서 천의 자리 숫자 9은/는 9000을, 백의 자리 숫자 3은/는 300을, 십의 자리 숫자 2는 20을, 일의 자리 숫자 0은 0을 나타냅니다.
3057
3057에서 천의 자리 숫자 3은 3000을, 백의 자리 숫자 0은/는 0을, 십의 자리 숫자 5은/는 50을, 일의 자리 숫자 7은/는 7을 나타냅니다.
44 교과연산 B0 (수록강)
4주차. 네 자리 수 (2) 45

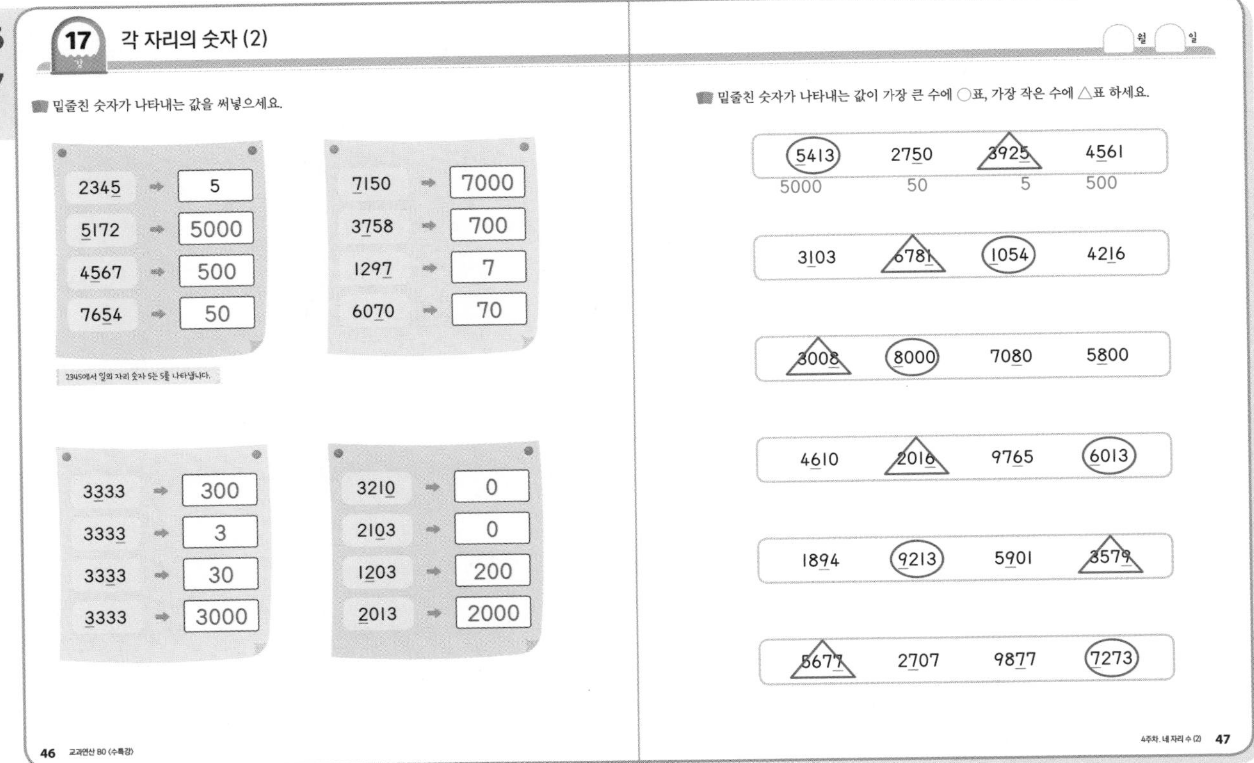

17 각 자리의 숫자 (2)
밑줄친 숫자가 나타내는 값을 써넣으세요.
2345 → 5
5172 → 5000
4567 → 500
7654 → 50
7150 → 7000
3758 → 700
1297 → 7
6070 → 70
2345에서 일의 자리 숫자 5는 5를 나타냅니다.
3333 → 300
3333 → 3
3333 → 30
3333 → 3000
3210 → 0
2103 → 0
1203 → 200
2013 → 2000
밑줄친 숫자가 나타내는 값이 가장 큰 수에 ○표, 가장 작은 수에 △표 하세요.
5413 2750 3925 4561
5000 50 5 500
3103 6781 1054 4216
3008 8000 7080 5800
4610 2016 9765 6013
1894 9213 5901 3579
5677 2707 9877 7273
46 교과연산 B0 (수록강)
4주차. 네 자리 수 (2) 47

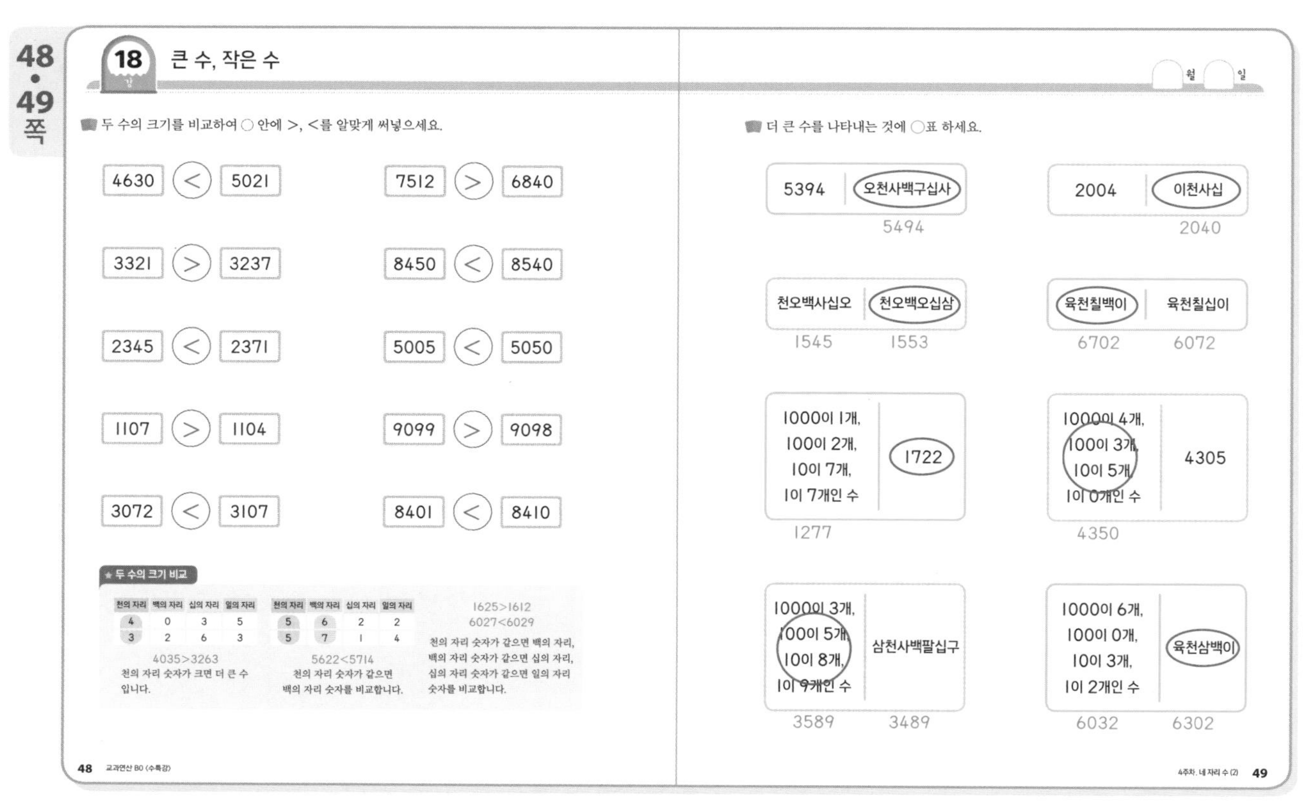

48·49쪽

18 큰 수, 작은 수

월 일

두 수의 크기를 비교하여 ○ 안에 >, <를 알맞게 써넣으세요.

4630 < 5021　　7512 > 6840

3321 > 3237　　8450 < 8540

2345 < 2371　　5005 < 5050

1107 > 1104　　9099 > 9098

3072 < 3107　　8401 < 8410

★ 두 수의 크기 비교

천의 자리	백의 자리	십의 자리	일의 자리
4	0	3	5
3	2	6	3

4035>3263
천의 자리 숫자가 크면 더 큰 수입니다.

천의 자리	백의 자리	십의 자리	일의 자리
5	6	2	2
5	7	1	4

5622<5714
천의 자리 숫자가 같으면 백의 자리 숫자를 비교합니다.

1625>1612
6027<6029
천의 자리 숫자가 같으면 백의 자리, 백의 자리 숫자가 같으면 십의 자리, 십의 자리 숫자가 같으면 일의 자리 숫자를 비교합니다.

더 큰 수를 나타내는 것에 ○표 하세요.

5394 | (오천사백구십사) — 5494

2004 | (이천사십) — 2040

천오백사십오 | (천오백오십삼) — 1545, 1553

(육천칠백이) | 육천칠십이 — 6702, 6072

1000이 1개, 100이 2개, 10이 7개, 1이 7개인 수 | (1722) — 1277

(1000이 4개, 100이 3개, 10이 5개, 1이 0개인 수) | 4305 — 4350

(1000이 3개, 100이 5개, 10이 8개, 1이 9개인 수) | 삼천사백팔십구 — 3589, 3489

1000이 6개, 100이 0개, 10이 3개, 1이 2개인 수 | (육천삼백이) — 6032, 6302

48 교과연산 B0 〈수특강〉　　4주차. 네 자리 수 (2) 49

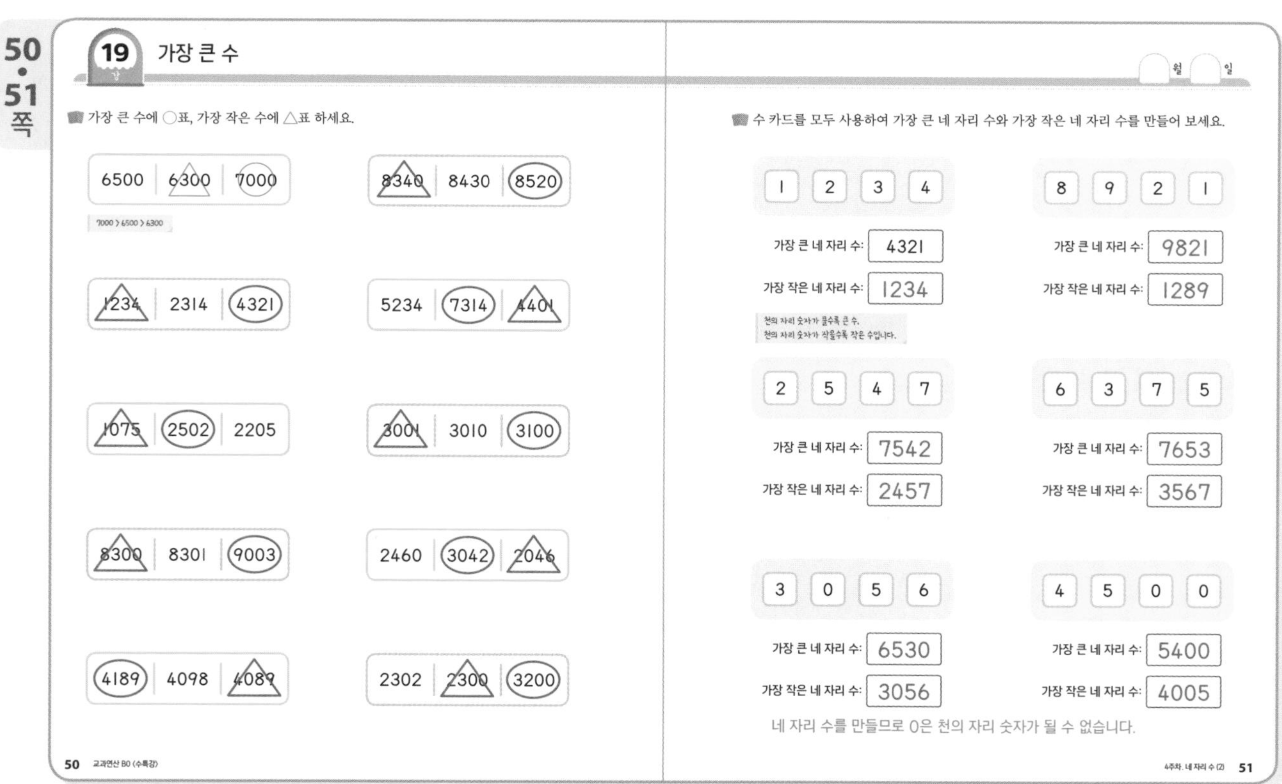

50·51쪽

19 가장 큰 수

월 일

가장 큰 수에 ○표, 가장 작은 수에 △표 하세요.

6500 | △6300 | ○7000
7000 > 6500 > 6300

△8340 | 8430 | ○8520

△1234 | 2314 | ○4321

5234 | ○7314 | △4401

△1075 | ○2502 | 2205

△3001 | 3010 | ○3100

△8300 | 8301 | ○9003

2460 | ○3042 | △2046

○4189 | 4098 | △4089

2302 | △2300 | ○3200

수 카드를 모두 사용하여 가장 큰 네 자리 수와 가장 작은 네 자리 수를 만들어 보세요.

1 2 3 4
가장 큰 네 자리 수: 4321
가장 작은 네 자리 수: 1234
천의 자리 숫자가 클수록 큰 수, 천의 자리 숫자가 작을수록 작은 수입니다.

8 9 2 1
가장 큰 네 자리 수: 9821
가장 작은 네 자리 수: 1289

2 5 4 7
가장 큰 네 자리 수: 7542
가장 작은 네 자리 수: 2457

6 3 7 5
가장 큰 네 자리 수: 7653
가장 작은 네 자리 수: 3567

3 0 5 6
가장 큰 네 자리 수: 6530
가장 작은 네 자리 수: 3056

4 5 0 0
가장 큰 네 자리 수: 5400
가장 작은 네 자리 수: 4005

네 자리 수를 만들므로 0은 천의 자리 숫자가 될 수 없습니다.

50 교과연산 B0 〈수특강〉　　4주차. 네 자리 수 (2) 51

52 • 53쪽

20 조건에 맞는 수

월 일

수 카드 4장을 한 번씩만 사용하여 설명에 맞는 네 자리 수를 모두 만들어 보세요.

천의 자리 숫자가 5, 백의 자리 숫자가 7인 네 자리 수를 모두 만들어 보세요.

5 6 7 8

십의 자리 숫자에는 6 또는 8이 들어갈 수 있습니다.

5768, 5786

천의 자리 숫자가 8, 십의 자리 숫자가 1인 네 자리 수를 모두 만들어 보세요.

1 2 8 9

8219, 8912

십의 자리 숫자가 0, 일의 자리 숫자가 4인 네 자리 수를 모두 만들어 보세요.

0 2 4 6

2604, 6204

수 카드 4장을 한 번씩만 사용하여 설명에 맞는 네 자리 수를 만들어 보세요.

천의 자리 숫자가 2인 가장 큰 수를 써 보세요. 2 5 4 9

2□□□, 천의 자리를 제외하고 높은 자리의 숫자부터 큰 수를 써넣습니다.

(2954)

천의 자리 숫자를 제외하고 높은 자리의 숫자부터 9, 5, 4를 큰 수부터 순서대로 씁니다.

백의 자리 숫자가 3인 가장 큰 수를 써 보세요. 8 0 1 3

(8310)

백의 자리 숫자를 제외하고 높은 자리의 숫자부터 8, 1, 0을 큰 수부터 순서대로 씁니다.

십의 자리 숫자가 9인 가장 작은 수를 써 보세요. 9 7 5 3

(3597)

십의 자리 숫자를 제외하고 높은 자리의 숫자부터 3, 5, 7을 작은 수부터 순서대로 씁니다.

일의 자리 숫자가 5인 가장 작은 수를 써 보세요. 2 5 6 0

(2065)

일의 자리 숫자를 제외하고 높은 자리의 숫자부터 0, 2, 6을 작은 수부터 순서대로 쓰는데 0은 천의 자리 숫자에 올 수 없습니다.

54쪽

□ 안에 들어갈 수 있는 수에 모두 ○표 하세요.

133□ > 1336	0 1 2 3 4 5 6 (7) (8) (9)
51□1 < 5152	(0) (1) (2) (3) (4) (5) 6 7 8 9
5588 > 5□87	(0) (1) (2) (3) (4) (5) 6 7 8 9
4105 < □473	1 2 3 (4) (5) (6) (7) (8) (9)
5250 > □340	(1) (2) (3) (4) 5 6 7 8 9

1335 < 1336
1336 = 1336
1337 > 1336

56·57쪽

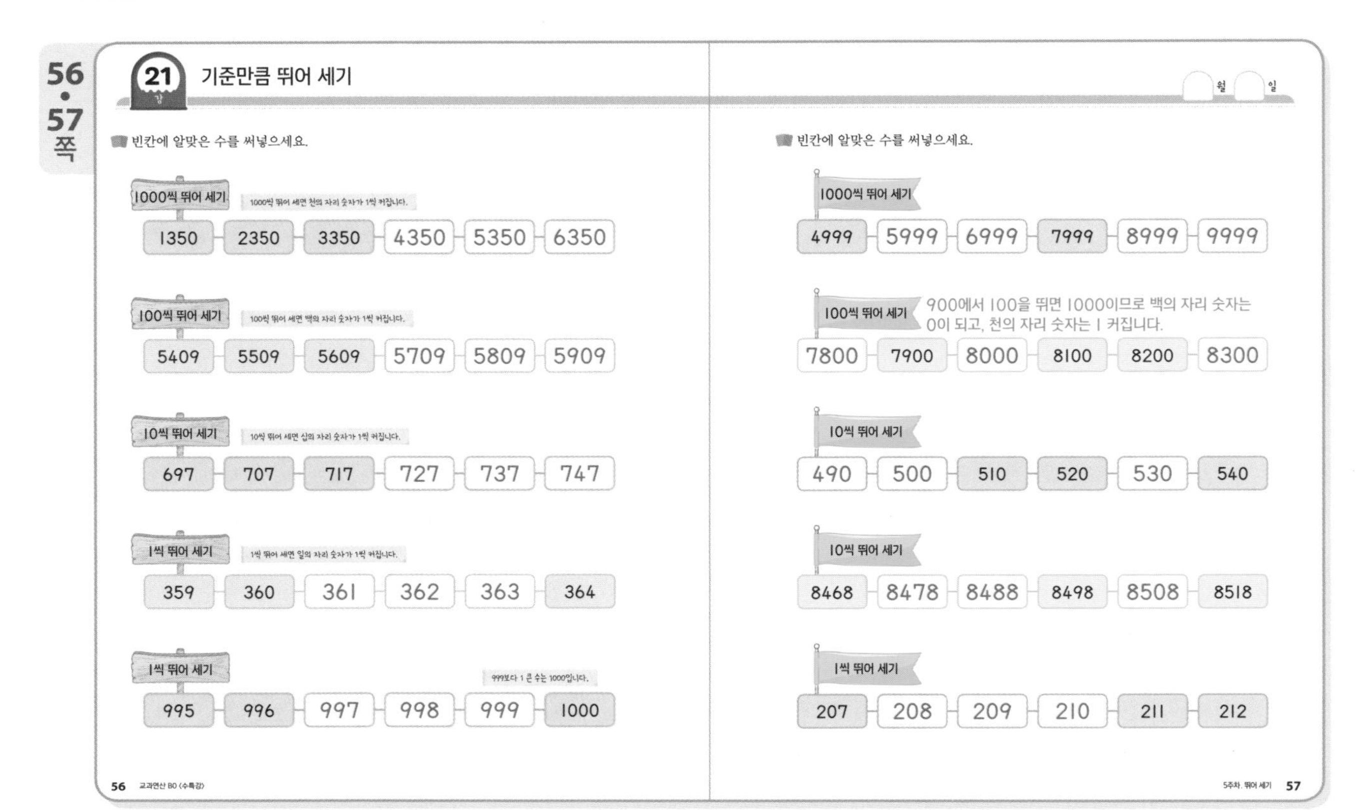

21강 기준만큼 뛰어 세기

월 일

■ 빈칸에 알맞은 수를 써넣으세요.

1000씩 뛰어 세기 — 1000씩 뛰어 세면 천의 자리 숫자가 1씩 커집니다.

1350 – 2350 – 3350 – 4350 – 5350 – 6350

100씩 뛰어 세기 — 100씩 뛰어 세면 백의 자리 숫자가 1씩 커집니다.

5409 – 5509 – 5609 – 5709 – 5809 – 5909

10씩 뛰어 세기 — 10씩 뛰어 세면 십의 자리 숫자가 1씩 커집니다.

697 – 707 – 717 – 727 – 737 – 747

1씩 뛰어 세기 — 1씩 뛰어 세면 일의 자리 숫자가 1씩 커집니다.

359 – 360 – 361 – 362 – 363 – 364

1씩 뛰어 세기 — 999보다 1 큰 수는 1000입니다.

995 – 996 – 997 – 998 – 999 – 1000

■ 빈칸에 알맞은 수를 써넣으세요.

1000씩 뛰어 세기

4999 – 5999 – 6999 – 7999 – 8999 – 9999

100씩 뛰어 세기 — 900에서 100을 뛰면 1000이므로 백의 자리 숫자는 0이 되고, 천의 자리 숫자는 1 커집니다.

7800 – 7900 – 8000 – 8100 – 8200 – 8300

10씩 뛰어 세기

490 – 500 – 510 – 520 – 530 – 540

10씩 뛰어 세기

8468 – 8478 – 8488 – 8498 – 8508 – 8518

1씩 뛰어 세기

207 – 208 – 209 – 210 – 211 – 212

56 교과연산 B0 〈수특강〉 5주차. 뛰어 세기 57

58·59쪽

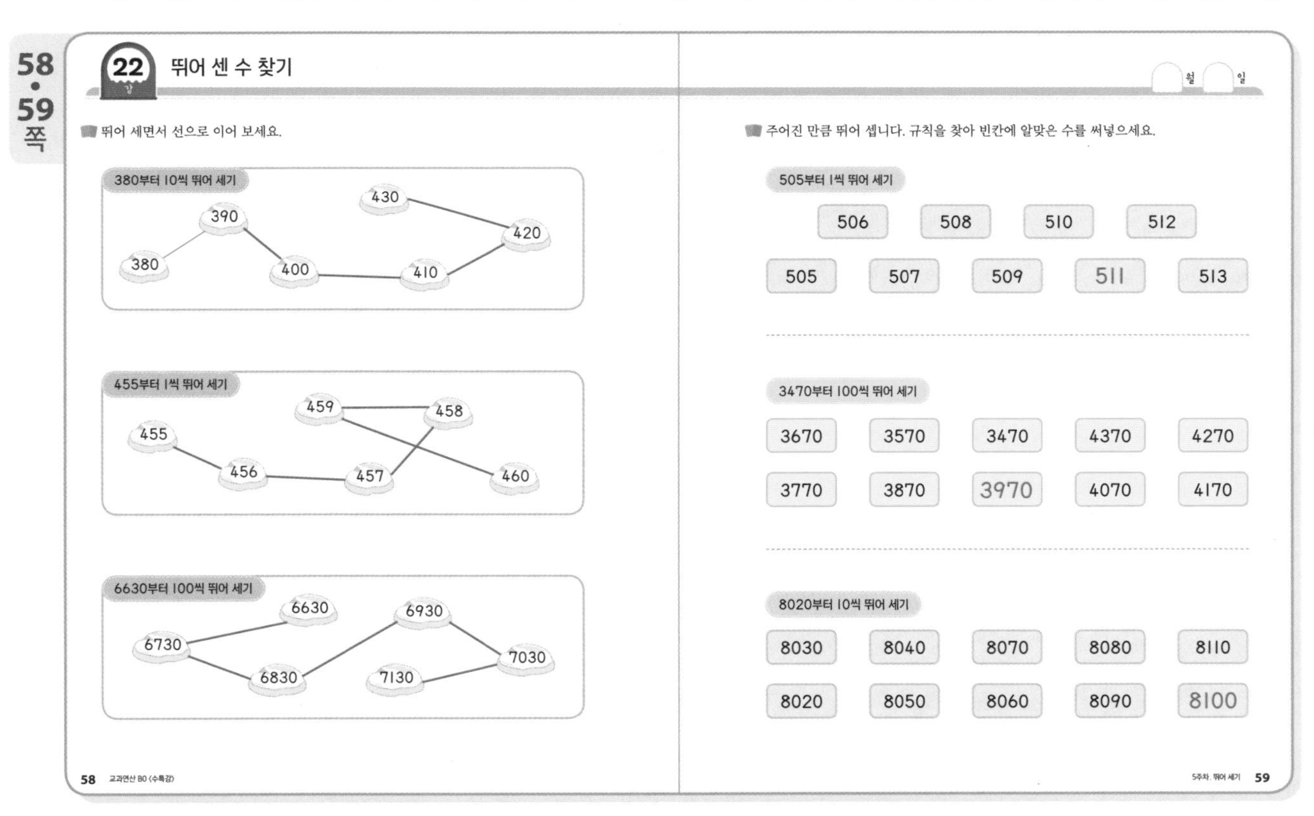

22강 뛰어 센 수 찾기

월 일

■ 뛰어 세면서 선으로 이어 보세요.

380부터 10씩 뛰어 세기

380 – 390 – 400 – 410 – 420 – 430

455부터 1씩 뛰어 세기

455 – 456 – 457 – 458 – 459 – 460

6630부터 100씩 뛰어 세기

6630 – 6730 – 6830 – 6930 – 7030 – 7130

■ 주어진 만큼 뛰어 셉니다. 규칙을 찾아 빈칸에 알맞은 수를 써넣으세요.

505부터 1씩 뛰어 세기

506 508 510 512

505 507 509 511 513

3470부터 100씩 뛰어 세기

3670 3570 3470 4370 4270

3770 3870 3970 4070 4170

8020부터 10씩 뛰어 세기

8030 8040 8070 8080 8110

8020 8050 8060 8090 8100

58 교과연산 B0 〈수특강〉 5주차. 뛰어 세기 59

60·61쪽

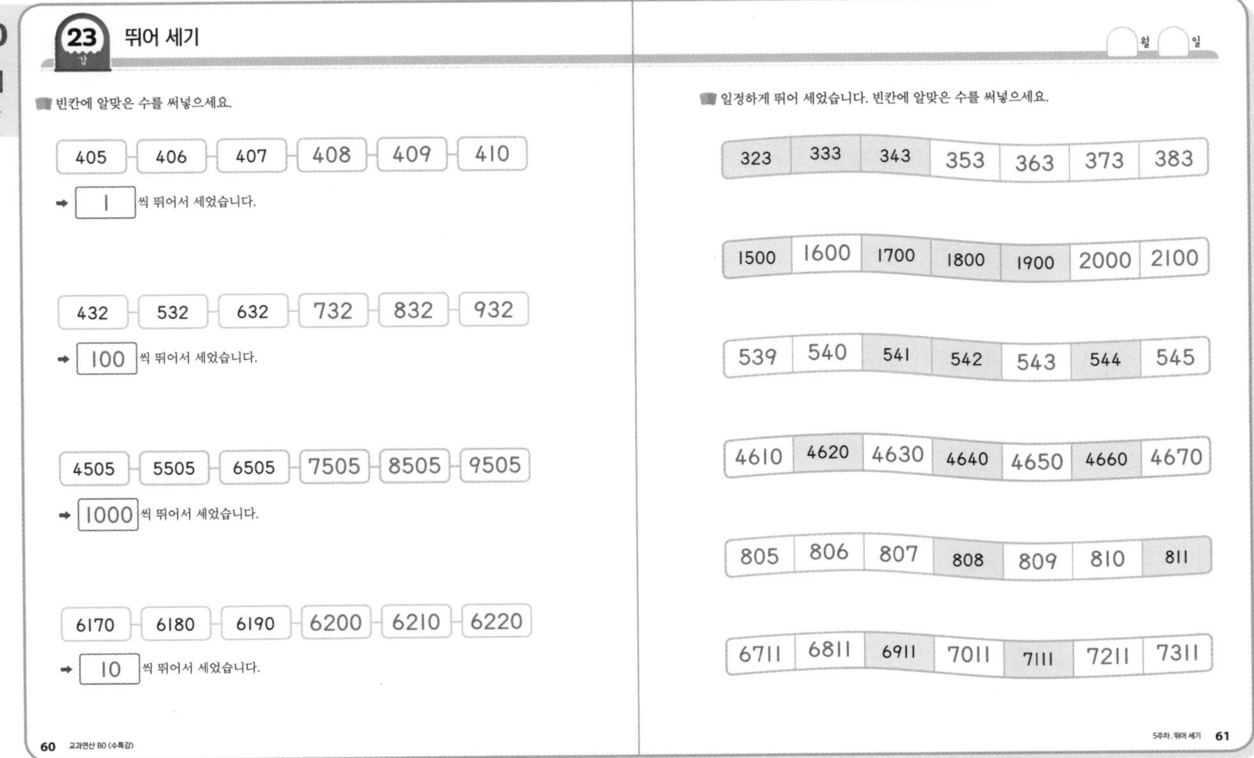

23강 뛰어 세기

빈칸에 알맞은 수를 써넣으세요.

405 - 406 - 407 - 408 - 409 - 410

➡ 1 씩 뛰어서 세었습니다.

432 - 532 - 632 - 732 - 832 - 932

➡ 100 씩 뛰어서 세었습니다.

4505 - 5505 - 6505 - 7505 - 8505 - 9505

➡ 1000 씩 뛰어서 세었습니다.

6170 - 6180 - 6190 - 6200 - 6210 - 6220

➡ 10 씩 뛰어서 세었습니다.

60 교과연산 B0 (수학강)

월 일

일정하게 뛰어 세었습니다. 빈칸에 알맞은 수를 써넣으세요.

323 - 333 - 343 - 353 - 363 - 373 - 383

1500 - 1600 - 1700 - 1800 - 1900 - 2000 - 2100

539 - 540 - 541 - 542 - 543 - 544 - 545

4610 - 4620 - 4630 - 4640 - 4650 - 4660 - 4670

805 - 806 - 807 - 808 - 809 - 810 - 811

6711 - 6811 - 6911 - 7011 - 7111 - 7211 - 7311

5주차. 뛰어 세기 61

62·63쪽

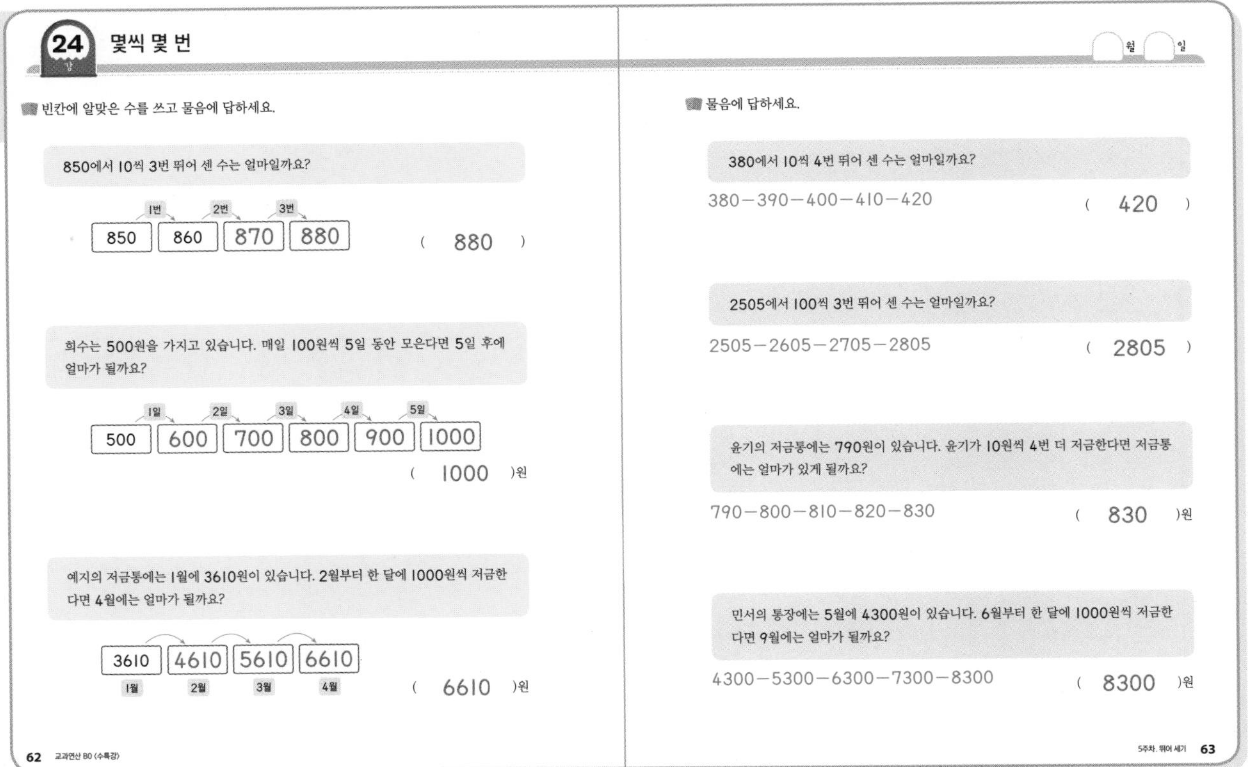

24강 몇씩 몇 번

빈칸에 알맞은 수를 쓰고 물음에 답하세요.

850에서 10씩 3번 뛰어 센 수는 얼마일까요?

1번, 2번, 3번: 850 - 860 - 870 - 880

(880)

희수는 500원을 가지고 있습니다. 매일 100원씩 5일 동안 모은다면 5일 후에 얼마가 될까요?

1일, 2일, 3일, 4일, 5일: 500 - 600 - 700 - 800 - 900 - 1000

(1000)원

예지의 저금통에는 1월에 3610원이 있습니다. 2월부터 한 달에 1000원씩 저금한다면 4월에는 얼마가 될까요?

3610 (1월) - 4610 (2월) - 5610 (3월) - 6610 (4월)

(6610)원

62 교과연산 B0 (수학강)

월 일

물음에 답하세요.

380에서 10씩 4번 뛰어 센 수는 얼마일까요?

380—390—400—410—420 (420)

2505에서 100씩 3번 뛰어 센 수는 얼마일까요?

2505—2605—2705—2805 (2805)

윤기의 저금통에는 790원이 있습니다. 윤기가 10원씩 4번 더 저금한다면 저금통에는 얼마가 있게 될까요?

790—800—810—820—830 (830)원

민서의 통장에는 5월에 4300원이 있습니다. 6월부터 한 달에 1000원씩 저금한다면 9월에는 얼마가 될까요?

4300—5300—6300—7300—8300 (8300)원

5주차. 뛰어 세기 63

정답

64 • 65쪽

25강 어떤 수 찾기

빈칸에 알맞은 수를 써넣으세요.

수		결과	수		결과
576	10 큰 수 ➡	586	335	10 작은 수 ➡	325
140	100 큰 수 ➡	240	702	100 작은 수 ➡	602
950	10 큰 수 ➡	960	397	10 작은 수 ➡	387
1234	100 큰 수 ➡	1334	1170	100 작은 수 ➡	1070
1580	10 큰 수 ➡	1590	8361	10 작은 수 ➡	8351
5050	100 큰 수 ➡	5150	7100	100 작은 수 ➡	7000

어떤 수보다 10 큰 수는 586입니다. 576보다 10 큰 수는 586입니다.

물음에 답하세요.

어떤 수보다 10 작은 수는 200입니다. 어떤 수보다 100 큰 수는 얼마일까요?

먼저 어떤 수를 구합니다. 210보다 10 작은 수는 200입니다.
어떤 수: 210
210보다 100 큰 수는 310입니다. (310)

어떤 수보다 100 큰 수는 543입니다. 어떤 수보다 10 작은 수는 얼마일까요?

443보다 100 큰 수는 543입니다.
어떤 수: 443
443보다 10 작은 수는 433입니다. (433)

어떤 수보다 10 큰 수는 6320입니다. 어떤 수보다 100 작은 수는 얼마일까요?

6310보다 10 큰 수는 6320입니다.
어떤 수: 6310
6310보다 100 작은 수는 6210입니다. (6210)

어떤 수보다 100 작은 수는 2800입니다. 어떤 수보다 10 큰 수는 얼마일까요?

2900보다 100 작은 수는 2800입니다.
어떤 수: 2900
2900보다 10 큰 수는 2910입니다. (2910)

64 교과연산 B0 (수특강) 5주차 뛰어 세기 65

66쪽

빈칸에 알맞은 수를 쓰고 물음에 답하세요.

어떤 수에서 10씩 2번 뛰어 센 수가 160입니다. 어떤 수는 얼마일까요?

140 —1번→ 150 —2번→ 160 (140)

어떤 수에서 100씩 거꾸로 2번 뛰어 센 수가 525입니다. 어떤 수는 얼마일까요?

525 ←2번— 625 ←1번— 725 (725)

어떤 수에서 100씩 4번 뛰어 센 수가 1540입니다. 어떤 수는 얼마일까요?

1140 —1번→ 1240 —2번→ 1340 —3번→ 1440 —4번→ 1540 (1140)

어떤 수에서 10씩 거꾸로 3번 뛰어 센 수가 3510입니다. 어떤 수는 얼마일까요?

3510 ←3번— 3520 ←2번— 3530 ←1번— 3540 (3540)

66 교과연산 B0 (수특강)

하루 한 장 75일
집중 완성

교과 연산

하루 한 장 75일
집중 완성

교과연산

"연산을 이해하려면 수를 먼저 이해해야 합니다."

"계산은 문제를 해결하는 하나의 과정입니다."

"교과연산은 상황을 판단하는 능력을 길러줍니다."